CE GUIDE DE SURVIE

APPARTIENT À

_____

Catalogage avant publication de Bibliothèque et Archives nationales du Québec et Bibliothèque et Archives Canada

Pilon, Marc-André, 1980-

  Guide de survie pour myope

  Suite de : Le myope contre-attaque.
  Pour les jeunes.

  ISBN 978-2-89662-310-5

  I. Titre.

PS8631.I483G84 2014   jC843'.6   C2013-942542-X
PS9631.I483G84 2014

Édition
Les Éditions de Mortagne
C.P. 116
Boucherville (Québec) J4B 5E6

Tél. : 450 641-2387
Télec. : 450 655-6092
Courriel : info@editionsdemortagne.com
Site Web : www.editionsdemortagne.com

Illustrations intérieures
© Daniel Hondermann (p. 27, 41, 56, 85, 132-133, 229-230 et 244)

Tous droits réservés
Les Éditions de Mortagne
© Ottawa 2014

Dépôt légal
Bibliothèque et Archives Canada
Bibliothèque et Archives nationales du Québec
Bibliothèque Nationale de France
1er trimestre 2014

ISBN 978-2-89662-310-5

ISBN (epdf) 978-2-89662-311-2

ISBN (epub) 978-2-89662-312-9

1 2 3 4 5 – 14 – 18 17 16 15 14

Imprimé au Canada

Nous reconnaissons l'aide financière du gouvernement du Canada par l'entremise du Programme d'aide au développement de l'industrie de l'édition (PADIÉ) et celle du gouvernement du Québec par l'entremise de la Société de développement des entreprises culturelles (SODEC) pour nos activités d'édition. Gouvernement du Québec – Programme de crédit d'impôt pour l'édition de livres – Gestion SODEC.

Membre de l'Association nationale des éditeurs de livres (ANEL)

Marc-André Pilon

GUIDE DE SURVIE

POUR MYOPE

ÉDITIONS DE MORTAGNE

Bonjour à toi, fidèle lecteur(trice)! C'est un réel bonheur de te retrouver! Pour ma troisième aventure, j'ai décidé de t'offrir un coup de pouce au cas où, tout comme moi, ton entrée au secondaire se serait avérée plus dangereuse qu'une excursion dans la jungle amazonienne (avec un coupe-ongles comme seule arme…). J'ai donc décidé de te concocter un guide de survie… pour myope! J'espère sincèrement qu'il te sera aussi utile qu'il l'a été pour moi.

Mais, tout d'abord, une question se pose: quel est ton degré de «nerditude»? Pour bien répondre à cette interrogation, je t'ai préparé un test dont les résultats se trouvent à la page 311.

Bonne lecture et… bonne survie!

À QUEL POINT SUIS-JE NERD?

1. Quelles sont mes habitudes de lecture?

   a) Je lis tout, même les ingrédients de la boîte de céréales lorsque je déjeune.

   b) J'aime lire, mais je préfère me concentrer uniquement sur les romans qui me plaisent (comme la série du Myope, par exemple;)).

   c) Je lis à l'occasion et je privilégie les romans qui ont été adaptés en films. (Ça m'aide à réussir les examens de compréhension de lecture!)

   d) Si les premières pages ne m'accrochent pas, oubliez-moi; il n'y a aucune chance que je termine ce livre. Ni les autres, d'ailleurs.

   e) Lire?! Êtes-vous MALADE? Je suis moi-même étonné d'être en train de lire cette phrase…

2. Comment sont mes relations avec le sexe opposé?

   a) Bientôt, dans un avenir plus ou moins rapproché, je compte bien réussir à parler à un membre du sexe opposé (enfin, peut-être… si cette personne peut cesser de fuir dès qu'elle me voit…).

b) J'ai déjà réussi à sortir avec quelqu'un mais, malheureusement, le réveil a sonné et j'ai dû me lever pour aller à l'école…

c) Je n'ai pas encore eu d'amoureux(se), mais je raconte à tout le monde que, durant l'été, j'ai rencontré quelqu'un qui habite super loin et (ça tombe bien) personne n'aura donc la chance de le (la) voir.

d) J'ai rencontré quelqu'un et c'est l'amour de ma vie. Je songe d'ailleurs à me faire tatouer son prénom quelque part (mais je vais commencer par un tatouage temporaire, juste pour être sûr…).

e) J'ai eu tellement de blondes/chums que je n'arrive plus à les compter (je ne suis pas très fort en maths).

3. Quel est votre degré de myopie?

a) Si je retire mes lunettes, faites attention! Je ne vois tellement rien que je pourrais causer un accident.

b) Je dois aller chez l'optométriste chaque année et, même si je mange une tonne de carottes, les petites lettres me semblent toujours aussi floues…

c) Je porte des lunettes, mais je ne veux pas que les gens le sachent.

Alors, je me métamorphose dans le jour grâce à des verres de contact.

d) Je ne suis pas myope, mais je porte des lunettes pour être cool! (Les deux gars de LMFAO sont mes modèles.)

e) Des lunettes? Est-ce que j'ai l'air de quelqu'un qui pourrait porter des lunettes? À côté de moi, un lynx voit aussi mal que ma grand-mère.

4. Qu'est-ce que je fais dans mes temps libres?

a) J'étudie, voyons. Quelle question!

b) Ça dépend. En fin de semaine, j'ai deux choix: aller à un tournoi de Donjons et Dragons avec mes amis ou assister à un festival de films *Star Wars*.

c) Je pratique mon sport favori: jouer à des jeux vidéo.

d) Je pratique mon sport favori: jouer au hockey.

e) Rien. Je suis trop cool pour faire quoi que ce soit. Être moi-même suffit à remplir tous mes temps libres et à impressionner les autres.

5. Si j'avais à pratiquer un sport, quel serait-il?

a) Le calcul mental extrême.

b) Ça dépend de la saison : l'hiver, je pellette la neige ; l'été, je passe la tondeuse ; et, l'automne, je racle les feuilles mortes.

c) Je suis un grand sportif… de salon. Donnez-moi une télé et des croustilles à grignoter, et je peux battre des records !

d) Ça dépend de la saison : l'hiver, je joue au hockey ; l'été, au soccer ; et, l'automne, au football.

e) N'importe lequel… tant que je gagne !

6. Quels sont mes résultats scolaires ?

a) Si je n'ai pas 95 % de moyenne générale sur mon bulletin, je me trouve *poche* et je révise toute la fin de semaine après l'avoir reçu pour m'améliorer.

b) Je vise 80 %, parce que mes parents m'ont promis un iPod pour ma fête si j'atteins l'objectif qu'ils m'ont fixé.

c) Ça prend 60 % pour passer ? Je vise donc 61 % !

d) Je préfère quand le bulletin est en lettres et non en chiffres, parce que mes parents pensent que D, c'est mieux que 45 %…

e) Va-t-il y avoir des cours d'été cette année ?

7. Qu'est-ce que je pense des devoirs ?

a) Ils sont essentiels à mon apprentis-
sage ; je les fais avec la plus grande
concentration et j'y mets toute mon
énergie.

b) Je les effectue la plupart du temps.
En fait, je trouve que c'est une
bonne excuse pour me retirer dans ma
chambre et avoir la paix.

c) Je complète un devoir uniquement
si le prof répond «oui» à cette
question : est-ce que ça compte au
bulletin ?

d) Mon chien les a mangés.

e) Mon petit frère les a mangés et mon
chien a mangé mon petit frère…

8. Combien ai-je d'amis ?

a) Quelques-uns. Mais, parfois, je me
demande s'ils sont seulement mes
amis parce que, sinon, eux non plus
n'en auraient pas…

b) Pour moi, les vrais copains se
comptent sur les doigts d'une main.

c) Vraiment beaucoup! Mais je ne sais
pas pourquoi, j'en ai encore plus
l'été, quand ma piscine est ouverte.

d) J'en ai tellement que je suis sur le
point d'atteindre le nombre maximum
autorisé par Facebook.

e) Tout le monde est mon ami. Même toi. C'est-tu clair? (À prononcer tout en faisant craquer ses jointures.)

9. Si tu pouvais inviter ton idole dans le cadre d'une présentation orale en français, qui serait-ce?

a) Stephen Hawking, afin que je ne sois plus le seul élève à le connaître ni le seul à s'intéresser à la gravité quantique et à l'existence des trous noirs temporels.

b) Steve Jobs, revenu d'entre les morts (Apple, c'est tellement mieux que Microsoft!).

c) Mon papa, parce que c'est le meilleur.

d) La chanteuse Rihanna, pour qu'elle nous interprète une version française de son succès *Umbrella* (en gros, ça donnerait : «Parapluie, pluie, plu-ie, i, ie!»).

e) J'hésite entre tous les acteurs du film *Les sacrifiés*. Sylvester Stallone, Chuck Norris, Arnold Schwarzenegger et Jean-Claude Van Damme sont tous incroyables et ils possèdent un registre dramatique époustouflant.

10. Quel est ton style vestimentaire préféré?

a) Pour moi, le nœud papillon ne se démodera jamais.

b) J'aime bien remonter mes pantalons jusqu'à mon nombril pour que les gens puissent voir mes beaux bas blancs. D'ailleurs, je ne sais pas ce qu'ils ont à faire des blagues répétitives sur l'eau qu'il y aurait dans ma cave…

c) Pour ma part, je m'habille en suivant la mode (même si ça veut dire que mes pantalons doivent défier les lois de la gravité).

d) Moé, j'porte tout' c'qui é *chill*, *man. That's it.*

e) J'adore porter des chandails blancs ultramoulants, avoir un bronzage qui parfait mon incroyable teint jaune orangé et, bien sûr, me faire raser de beaux zigzags dans le cuir chevelu!

Psiiiit!! Pour le calcul et l'interprétation des résultats, c'est à la page 311!

PREMIÈRE PARTIE

À VOS MARQUES!

(ET CICATRICES...)

I

– *À l'aaaaaaaaaaide!!!*

Qui a crié ainsi? En plus, la voix m'est familière!

Trop familière.

Je jette un coup d'œil autour de moi, mais c'est l'obscurité totale. Je ne vois rien. Rien du tout. Pas moyen d'identifier la provenance du hurlement. Ni son auteur. L'endroit est aussi sombre que dans la gueule d'un loup. Et le loup est dans un poêle. Et le poêle est dans une grotte. Et l'arbre est dans ses feuilles, maridon-mariday. L'arbre est dans ses feuilles, maridon-don-day!

– *P.-AAAAAAAAAAAAAA.!*

Oh non! Cette fois, pas de doute: c'est Andréanne! Qu'y a-t-il de si grave, mon amour? Ne t'en fais pas, j'arrive!

Mais… où aller?

La voix résonne en un étrange écho, implorant mon nom. Une version sonore de la chambre aux miroirs. Quelle direction prendre? Je tâtonne devant moi… le vide. Le sol, lui, est étrangement mou. Comme si j'étais Jonas dans sa baleine. Ou, pire, Han Solo et son Millénium Condor, posé innocemment dans le gosier d'un monstre intergalactique.

— Au seccoouuuuuuurs!

OK! OK! Je me dépêche! Mais je ne peux pas faire des miracles non plus! J'essaie d'accélérer, mais le plancher englue mes pieds et j'avance à pas de tortue. Une tortue qui serait prise au piège dans un mélange « confiture de fraises et beurre d'arachide ».

— Je suis là! m'égosillé-je.

Belle tentative. On dirait que j'ai un bâillon sur la bouche. Aucune puissance vocale.

Tout cela est de plus en plus étrange.

Pour appuyer ce constat, une lueur surgit de nulle part. Un éclairage de scène ciblant un endroit particulier de son halo : un escalier. Devrais-je m'y aventurer ? Une nouvelle lumière apparaît. Une flèche rouge clignotante et pointant la première marche. Subtil. Quelqu'un n'apprécie pas mon hésitation...

– Viiiite !

– J'arrive ! articulé-je avec mes cordes vocales de lilliputien enroué.

J'accélère le pas en laissant une chaussure derrière moi, prisonnière des viscosités. Pas grave. Claudiquant, je franchis les marches à une vitesse impressionnante. Flash McQueen, à côté de moi, c'est un vieux tacot rouillé.

Marche 28.

Marche 172.

Marche 306.

Incroyable ! Cet escalier est infini !? Dès que je gravis un palier, de nouvelles marches s'ajoutent. C'est de la magie noire ! Je halète comme une vieille bourrique. Mes poumons vont exploser.

– *Dépêche-toi !* hurle l'amour de ma vie.

C'est ce que je fais, c'est ce que je fais ! Trouvant un second souffle, je fournis un ultime effort et… enfin ! Je parviens au sommet, mais je ne suis pas au bout de mes surprises. Ce qui apparaît devant moi est totalement inattendu. J'ai atteint la cime d'une tour médiévale, faite de pierres grossièrement taillées et disposées en couronne. Le ciel, lui, est anormalement coloré : mauve, avec des teintes verdâtres. Lézardé d'éclairs, il semble sortir tout droit d'une peinture surréaliste imaginée par un artiste dément. À ma droite, Andréanne est là. Attachée à un poteau, avec une robe à couper le souffle, les cheveux détachés et en bataille. Toujours aussi magnifique, elle a tout d'une princesse en détresse. Par contre, c'est à ma gauche que ça se gâte : une créature… non… un monstre se dresse devant moi ! Une espèce de batracien préhistorique à la gueule dégoulinante, avec des yeux sanguinaires et une carapace munie de pics, lesquels doivent assurément servir à embrocher ses innocentes victimes. Il ressemble à s'y méprendre à Bowser, l'ennemi juré de Mario Bros. De mon côté, il me manque juste la petite casquette, la salopette, la giga moustache et l'aide de mon fidèle ami Jo-Luigi.

– *P.-A., attention !*

L'infernal crapaud vient de cracher une flamme immense. J'essaie de l'esquiver en me jetant au sol, mais sans succès. Je suis cuit (ou sur le point de l'être)! Le feu me lèche l'avant-bras.

— Arrrgghhhhh!

Déjà, je sens des cloques se former. Je me relève, mes sourcils roussis par la chaleur.

— GRABLOFUI! vocifère la hideuse créature dans une langue inconnue.

Suis-je en train de dormir et de rêver? Si oui, je dois faire attention: il paraît que, lorsqu'on meurt dans son sommeil, on peut aussi décéder pour de vrai. Du moins, c'est ce que j'ai lu quelque part. Ce n'est pas le moment de trépasser. Pas avec ma chère Andréanne en détresse!

— Amène-toi, espèce de…

Un second jet de flammes m'interrompt. Je réussis à sauter par-dessus. Une musique stressante de jeu vidéo des années 1980 démarre dans ma tête.

Ti-li-li-li-li-li-li-li-ti-li-li-li-li.

Nouvelle flamme. Nouveau bond.

Ti-li-li-li-li-li-li-li-ti-li-li-li-li.

Si seulement je pouvais appuyer sur A et sur B pour augmenter la hauteur de mes sauts ou faire un code spécial pour avoir vingt-six vies...

Là, j'en ai juste une.

Pas le temps de niaiser.

Inspiré par mes vieux classiques, je lève la main dans les airs. Tout à coup, un éclair traverse le ciel et une épée incandescente fait son apparition. Oh yes! Zelda et moi, même combat.

— *On rit plus, maintenant, hein? nargué-je la bête.*

— *GRABLOFUI! est la seule réponse que j'obtiens.*

C'est le moment ou jamais. Je m'élance vers les pierres qui ceinturent le sommet de la tour. De justesse, j'évite une nouvelle attaque flambée qui me frôle le fond de culotte. Je grimpe sur la roche pour ensuite me propulser dans la direction de la créature. Avec une vigueur surhumaine, je lui enfonce mon glaive dans l'épaule. Blessé, le monstre se démène comme un diable dans l'eau bénite. Il réussit à se dégager en m'aspergeant d'un liquide vert poisseux qui coule de ses plaies (et de son nez…). Par magie, un tableau apparaît dans le ciel. Ses points de vie ! Il vient d'en perdre un. Il ne lui en reste que deux !

– GRABLOFUI ! répète-t-il.

– J'adore la profondeur de notre conversation..., répliqué-je.

Une flamme vient faire taire mon ironie.

– AYOYE !

Ma main gauche est calcinée. Heureusement, tout ça n'est qu'un rêve... La douleur n'en est pas moins réelle.

– Grouille, P.-A. !

Andréanne a toujours raison, même dans mes songes nocturnes. Il faut en finir. Je recule, mais m'emmêle les pieds et tombe à la renverse. Oh non ! La méprisable créature fonce droit sur moi. J'effectue une roulade vers la droite, l'esquive et l'atteins à une jambe avec mon épée. Un autre point de vie en moins ! Plus qu'un dernier et je remporte la partie. Fou furieux, le Bowser charge à nouveau. Cette fois, je m'accroupis pour tenter de l'éviter. Je relève mon épée à la dernière minute. Un liquide chaud me dégouline sur la tête et les épaules. Probablement sa bave acide, utilisée pour paralyser ses victimes avant qu'il les engloutisse...

Mais contre toute attente, le monstre s'effondre à côté de moi.

— GRAAAAAaaablooooffuiiiii...

Par je ne sais quel miracle, la bête vient de rendre son dernier souffle.

— P.-A. !

Andréanne ! Je peux enfin la secourir. Je n'ai qu'une envie : la prendre dans mes bras, lui dire que tout va bien. Toutefois, un objet détourne mon regard et m'arrête dans mon élan. Il n'a rien de particulier, pourtant : petit, de forme rectangulaire, coloré et avec divers motifs. Sans savoir pourquoi, je n'arrive pas à le quitter des yeux, comme hypnotisé. Je veux aller rejoindre ma bien-aimée, mais mes jambes vont dans la direction contraire.

— Qu'est-ce que t'attends pour me libérer ?! me relance-t-elle, exaspérée.

Désolé, Andréanne. C'est plus fort que moi. Je dois m'emparer de cet objet mystérieux. J'allonge ma main pour y toucher. Je sais que je fais le mauvais choix, c'est clair. Malgré tout, je referme mes doigts sur mon butin. C'est alors que le sol se met à trembler autour de nous. Les pierres se dérobent sous ses pieds tandis que la tour se désagrège.

Lentement, je vois Andréanne qui glisse dans le néant. Noooooooooon !

— Andréaaaannnnnne !

Je dois la rejoindre. Peu importe les conséquences. Je décide de sauter dans le vide.

Et je tombe.

Et je tombe encore…

Et je tombe infiniment.

BAM !

Mon visage s'écrabouilla sur le sol froid du dortoir.

Ouch !

Gravité : 1

P.-A. : 0

Décidément, dormir au deuxième étage de mon lit superposé était devenu un sport extrême. Surtout ces temps-ci… Sans raison apparente, mon sommeil était très agité.

Heureusement, tout ça n'était qu'un rêve. Fiou ! Tout de même, quel cauchemar ! Avoir à choisir entre Andréanne ou un objet inconnu, et opter pour le second choix ? B-r-a-v-o.

En me relevant, je replaçai mon pyjama (une atrocité parsemée de bonshommes sourires, gracieuseté de ma très chère mère) et vérifiai si tout était encore en place. Mon bras droit ? OK. Mon bras gauche ? Pas cassé. Mes deux jambes ? *Check*. Mon incroyable dentition, incluant mes deux palettes qui rendraient jaloux le castor sur nos pièces de cinq sous ? Chambranlante, mais toujours en position. Ma coupe de cheveux de style champignon (atomique), elle ? Explosive, mais trois ou quatre heures d'intenses coups de peigne devraient régler le problème. Tout était parfait. Me collant le nez sur ma montre, je regardai l'heure : 3 h 18. Il me restait encore quelques heures de sommeil devant moi.

Je m'apprêtais à monter me recoucher quand soudain… j'entendis un bruit étrange, au loin. Instinctivement, je me recroquevillai entre mon lit et le mur. Réaction exagérée? Pas tant que ça. Disons que mon collège additionnait les événements bizarres depuis la disparition de madame Maheu il y a un an et demi.

Par contre, une odeur pestilentielle me rappelait que j'avais mal choisi ma cachette: à deux centimètres du visage de Sébastien Morand-Voyer, mon coloc qui dormait au premier étage. Un élève dont les reflux gastriques étaient devenus légendaires. Entre deux ronflements, son haleine putride me fouettait le visage. Une main sur le nez, je me retenais pour ne pas hurler. J'entendis un deuxième frottement, plus défini: quelqu'un se déplaçait dans le dortoir. Impossible de voir quoi que ce soit, tout était embrouillé. Sans mes lunettes, j'avais la même vision qu'une taupe par une nuit de brouillard…

Troisième mouvement.

Je plissai les yeux, mais renonçai après quelques secondes. Il n'y avait rien à faire. Jamais je ne pourrais distinguer quoi que ce soit à cette distance. Je restai immobile dans ma cachette, l'oreille tendue, le souffle retenu. Plus rien. Le silence de la nuit avait repris sa place. Peut-être n'était-ce finalement qu'une simple fringale ou un appel urgent de la nature. Je retournai donc à mon lit «ultradouillet». (Pourquoi les guillemets? Imagine une planche pour fakir une seconde et dis-toi que les clous sont TRÈS confortables comparés à mon matelas…)

Juste avant que je m'endorme, une pensée traversa mon esprit. Un pressentiment que j'aurais oublié le lendemain.

Malheureusement.

Je l'ignorais, mais ce n'était pas la première fois que les mystérieux déplacements nocturnes d'un inconnu me réveillaient…

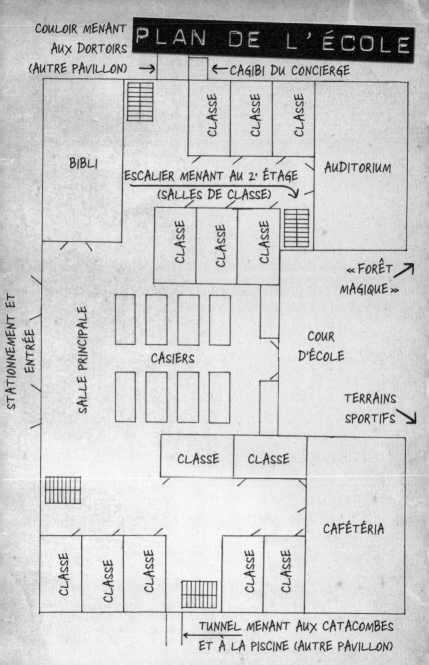

En terrain miné, il faut regarder où on met les pieds!
Connaître son environnement par cœur, aussi hostile soit-il,
est un bon début!

II

1er mai

Mon réveil sonna. Argghhh! Quel réveil pénible! Mes paupières semblaient collées avec de la Krazy Glue. Premier réflexe de la journée : mettre la main sur ma seconde paire d'yeux. Machinalement, je la déposai sur mon nez. Mais… attendez une minute! Je n'étais pas dans ma chambre à coucher! Et ce n'était pas mon réveille-matin qui m'avait sorti des limbes. Oh non! C'était la première cloche, celle qui annonçait le début imminent des cours. Plus que cinq minutes avant d'être officiellement en retard!

Bondissant de mon lit, j'enfilai mon uniforme à la vitesse Superman-entre-dans-une-cabine-téléphonique. Je revêtis mon chandail tout en me brossant les dents (défi relevé! Essaie-le, ce soir, à la maison. Tu vas voir que c'est un exploit de ne pas s'étouffer ou se crever un œil!). Ensuite, les plis de mon oreiller encore imprimés sur la joue, je me précipitai dans le couloir.

En me ruant vers ma classe, je fus apostrophé :

— Tiens, tiens ! Si c'est pas le « rebelle au bois dormant » !

Qui d'autre que Jo, mon meilleur ami asiatique, pour être aussi matinal avec les jeux de mots ? Habituellement, ce genre de blague sortie tout droit d'un biscuit chinois me faisait sourire. Pas aujourd'hui. Ce n'était pas le moment. Après mon rêve de la nuit dernière, je n'avais qu'une idée en tête : serrer Andréanne dans mes bras.

Je repris donc ma course.

— Qu'est-ce que tu fais ? haleta Jo derrière moi.

Pas le temps de lui expliquer. Me frayant un chemin parmi les autres élèves, je sentais toutes les têtes se tourner sur mon passage. Était-ce dû à mon look de *nerd* suprême ? Pas du tout. Au contraire : les filles voulaient être vues à mes côtés et les gars m'enviaient. Depuis l'Halloween, j'étais un héros. Une légende. En déjouant les plans de Power Power pour une seconde fois, je pensais que Gravel-Laroche allait devenir un nom lourd à porter. En raison de son caractère doublement « rochant » ? Non, surtout à cause de l'implication de mon père dans toute cette affaire. Et il y avait pire : d'autres parents avaient été arrêtés avec lui. Je craignais que leurs enfants m'en veuillent mais, pour l'instant, aucune hostilité ne se manifestait à mon égard. Je sentais malgré tout une tension indéchiffrable autour de moi, à l'occasion. J'avais le sentiment inexpliqué que le château de cartes de ma vie allait s'écrouler d'un moment à l'autre…

– T'es sûr que ça va ? ajouta Jo, peinant à me suivre. Un bébé kangourou se cacherait dans une poche sous tes yeux que ça ne m'étonnerait pas, tellement t'es cerné !

J'entrai dans la classe. Andréanne était finalement là, véritable vision céleste ! La voir me remplissait de bonheur. Un peu plus et je nous jouais la scène finale d'une comédie musicale quétaine, montant sur les bureaux pour chanter mon amour infini, le tout accompagné – assurément – d'oiseaux qui siffleraient en chœur.

– Tout va bien, P.-A. ? T'as l'air bizarre…, s'étonna Andréanne.

Pop ! La bulle de mes fabulations éclata.

– On dirait que t'as vu une apparition !

Je ne répondis pas. À la place, je m'approchai d'elle, la pris dans mes bras et la serrai très fort. J'avais l'impression que, si je la lâchais, elle allait disparaître. Encore aujourd'hui, je m'étonnais qu'on soit ensemble. Chaque moment passé à ses côtés me semblait un petit miracle. Je ne voulais pas la perdre. Pour rien au monde.

– T'étais pas à la cafétéria, ce matin ? me demanda-t-elle.

Mon étreinte devenait un peu trop longue et insistante… D'où sa tentative de changement de sujet. Mais je ne pouvais pas lui parler de mon rêve absurde…

Alors, je l'embrassai.

Longuement.

Mal à l'aise, Jo se racla la gorge derrière nous. Assis à leurs bureaux, tous les élèves nous regardaient, mais c'était le dernier de mes soucis.

– Veuillez prendre place, les tourtereaux ! entendis-je alors.

Oups ! Voilà où Jo voulait en venir avec son avertissement ! Je n'avais même pas entendu la deuxième cloche sonner et monsieur Newton, notre prof de sciences, s'impatientait. Cet homme était la preuve vivante qu'avec le temps la loi de la gravité finissait par faire son effet : les poches sous ses yeux se terminaient à la hauteur de ses joues ; ses bajoues descendaient jusqu'à son menton et celui-ci (ceux-ci, en fait… il en avait trois !) finissait au milieu de son cou.

Bref, vous voyez le genre ?

La cascade de chair humaine nous dévisageait tandis que j'entendais quelques gars rigoler dans leur barbe (ou, plutôt, dans les trois ou quatre poils qui poussaient dans cette région). Je desserrai mon étreinte. Gênée, Andréanne alla s'asseoir à son bureau, Jo également. Je les imitai. De sa voix rappelant celle de René Angélil, monsieur Newton nous annonça :

– Aujourd'hui, nous avons un cours un peu spécial…

Oh non… Spécial = labo. Labo = catastrophes. La dernière fois, Jo avait mélangé de la poudre de magnésium avec de l'acide chlorhydrique, et boum! Ça nous avait explosé à la figure.

– … parce que vous êtes attendus à l'auditorium pour rencontrer le directeur, monsieur Lachance. Il a une nouvelle importante à vous divulguer.

Les élèves se regardèrent, interloqués. Si on excluait le sermon du début de l'année, depuis quand le directeur voulait-il nous parler à tous en même temps?

En chemin, Andréanne essaya d'en savoir plus long sur mon comportement étrange:

– Qu'est-ce que tu me dis pas?

Elle me connaissait par cœur.

– Tout va bien, je t'assure, répliquai-je.

– En tout cas, impossible de te réveiller ce matin! certifia Jo. Tu dormais aussi dur… qu'une roche!

Tout de suite, je saisis l'allusion à mon nom.

– Ha! Ha! Ha! Très drôle…, dis-je avec sarcasme.

On entra ensuite dans l'auditorium, là où avaient lieu les journées carrières (prérequis : savoir cogner des clous) et les spectacles d'amateurs (le mot-clé, ici, étant « amateurs »). Monsieur Lachance nous attendait sur scène, derrière un micro. À côté de lui, un drap recouvrait une table rectangulaire et dissimulait une grosse bosse. Tiens, tiens, pourquoi tant de mystère? Il replaça le nœud de sa cravate – laquelle arborait la couleur « vomi » en plusieurs teintes –, lissa les bouts de sa moustache rousse et se racla la gorge.

– Cette année, pour terminer votre troisième secondaire en beauté, vous allez…

Un long bruit strident de micro nous obligea à boucher nos oreilles. Évidemment, personne n'entendit la suite. Notre collège avait les moyens de se procurer les plus récents gadgets électroniques, mais la direction oubliait chaque fois que le concierge n'était pas outillé pour bien les faire fonctionner… Bref, en raison de notre sonorisation dernier cri, monsieur Lachance poursuivit en hurlant :

– JE DISAIS DONC QUE VOUS ALLEZ FAIRE UN VOYAGE CULTUREL!

Tout de suite, cette nouvelle piqua la curiosité des élèves. Fébriles, tous croisaient les doigts en silence : quelle en serait la destination ? S'il vous plaît, faites que ce ne soit pas une randonnée à deux kilomètres de l'école pour aller visiter un endroit « historique » (lire : de vieilles ruines plates).

– Chers troisième secondaire, vous avez rendez-vous avec…

Roulement de tambour. Dents qui grincent. Ongles rongés. Pieds qui martèlent le sol à un rythme de *death metal*.

– … la France !

Ce fut l'explosion de joie ! Le directeur avait raison : voilà ce qu'on appelait finir l'année en grand. Ça compenserait la semaine d'examens de juin, dans des locaux sans air conditionné (avec bouteilles d'eau autorisées, mais interdiction de sortir pour aller aux toilettes…).

– Silence, s'il vous plaît ! Je n'ai pas terminé, ajouta-t-il.

La foule se tut à nouveau.

— Bien entendu, pour pouvoir y aller, vous devrez obtenir les résultats scolaires nécessaires, soit une moyenne générale d'au moins 85 % et aucun cours en deçà de 75 %.

Une vague de déception déferla sur la salle, tellement grosse qu'un surfeur aurait pu l'affronter avec sa planche. Jo me lança un regard inquiet auquel je répondis :

— T'en fais pas, c'est sûr que tu vas y arriver. Je te le promets. Je vais t'aider !

— À noter aussi que nous ferons des activités de financement pour y parvenir, enchaîna le directeur.

Second désenchantement général.

— Outre la classique vente de chocolat, je vous propose une nouvelle formule…

Monsieur Lachance fit une nouvelle pause dramatique pour augmenter le suspense :

— … des olympiades !

Une autre rumeur s'éleva dans la salle. Positive, cette fois.

— Elles auront lieu dans deux semaines et seront organisées conjointement avec la municipalité, ce qui nous permettra de recueillir des dons de la part des citoyens pour financer une partie de votre périple. En prime, les vainqueurs seront assurés de prendre part au voyage!

Les sourires revinrent sur les visages de ceux qui n'étaient pas aussi *nerds* que moi. Incapables d'obtenir de bons résultats scolaires? Pas grave. Il leur restait toujours le sport! Andréanne me lança un regard joyeux et complice. Rapidement, je compris où elle voulait en venir.

— Oh que non! Non, non, non et re-non, répétais-je en secouant la tête. Aucune chance que je participe à des olympiades!

— S'il te plaîîîîît!

Elle me fit ses plus beaux yeux, l'air suppliant. Une véritable torture. Je pris un air renfrogné:

— Je suis tellement *poche* en sport, tu le sais! Je vais avoir l'air *twit* devant tout le monde!

— On va t'aider, Jo et moi! renchérit-elle.

À quoi? À me ridiculiser? Non merci, j'y parvenais très bien tout seul... Mon meilleur ami posa la main sur mon épaule et ajouta solennellement:

– L'important, c'est pas de gagner, c'est de participer!

Ouain... Facile à dire! Surtout quand l'une est championne de natation et que l'autre pratiquait déjà les arts martiaux dans le ventre de sa mère...

– Oubliez ça, tous les deux! C'est pas pour moi.

Je croisai les bras et me fermai telle une huître. Le directeur reprit la parole au même moment:

– Ce n'est pas tout! Jusqu'à la fin de l'année, les membres de l'équipe gagnante auront la chance de garder *ceci* avec eux!

En parlant, il tira sur le drap qui recouvrait la table, dévoilant l'objet mystérieux en question.

– Ohhhhhhhhh! s'exclamèrent les élèves (des hommes préhistoriques découvrant le feu auraient été moins admiratifs...).

Un trophée. Mais pas n'importe lequel. Un trophée *mythique*. Le genre qu'on conserve derrière des panneaux de verre et qui impressionne les visiteurs. Le genre qu'on ne touche jamais, sauf peut-être pour le dépoussiérer et lui redonner son lustre magnétique, quasi surnaturel.

— Ce trophée est parmi nous depuis la fondation du collège en 1874, expliqua le directeur avec orgueil. Il a été fièrement remporté par les élèves de cette école qui, année après année, se le disputaient dans le cadre de tournois mémorables et glorieux. Aujourd'hui, nous restaurons cette tradition. Serez-vous les élus de la nouvelle génération? Inscrivez-vous auprès de votre secrétaire de degré d'ici vendredi et c'est ce que nous saurons!

Andréanne me regarda à nouveau, avec les yeux du Chat potté dans *Shrek*.

— C'est non, affirmai-je fermement.

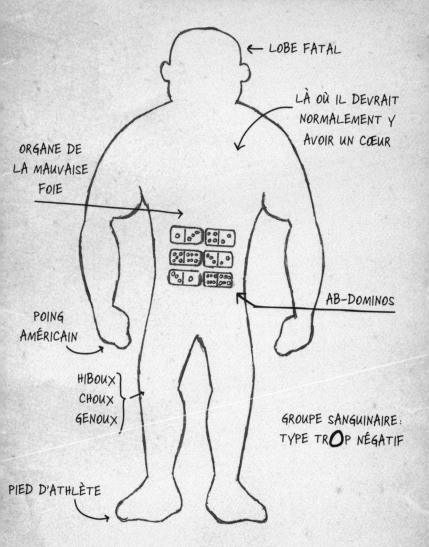

PORTRAIT DE L'INTIMIDATEUR

← LOBE FATAL

LÀ OÙ IL DEVRAIT NORMALEMENT Y AVOIR UN CŒUR

ORGANE DE LA MAUVAISE FOIE

AB-DOMINOS

POING AMÉRICAIN

HIBOUX CHOUX GENOUX

GROUPE SANGUINAIRE: TYPE TROP NÉGATIF

PIED D'ATHLÈTE

Pour survivre dans la jungle scolaire, il faut être en mesure de reconnaître ses prédateurs. Prends garde à ce spécimen dangereux!

III

Le directeur en profita ensuite pour nous rappeler l'importance d'étudier pour les examens de fin d'année et blablabla... Au moins, son long discours eut un avantage : on évita de retourner en classe pour un demi-cours inutile.

Quand je sortis de l'auditorium, mes sentiments étaient ambivalents. D'un côté, le voyage culturel en France me rendait heureux ; d'un autre côté, j'éprouvais un malaise en raison de mon refus à l'endroit d'Andréanne. Mais... des olympiades !! Comment y participer sans avoir l'air fou ?

Avant que ma copine ne puisse insister, notre bande fut interrompue par une scène horrible et inattendue au détour d'un couloir.

Entouré par trois élèves, un gars passait un mauvais quart d'heure (nos pauses ne duraient que quinze minutes). La victime : Charles Macchabée-Simard, mieux connu sous le surnom de « la mouche » à cause de son apparence. Pâlot et boutonneux, le regard constamment rivé au sol, une longue frange de cheveux noirs dans le visage, il avait la fâcheuse habitude de se frotter les mains en parlant. En plus, la rumeur voulait qu'il soit l'héritier d'une riche famille de croque-morts.

Un gars étrange ?

Oui.

Différent ?

Assurément.

Mais personne ne méritait ce qu'il subissait.

Personne.

Je pris alors une décision : tant que je fréquenterais cette école, j'appliquerais la tolérance zéro envers l'intimidation !

— Allons voir ça de plus près, lançai-je à mes deux amis.

M'approchant de la scène, j'avais l'impression d'assister à la reprise d'un film déjà vu. Sauf que, ce coup-ci, la vedette principale du drame n'était pas moi. Heureusement. Mais je n'allais pas demeurer un simple figurant pour autant! Oh que non! Il fallait intervenir. Et vite! Parce qu'un des intimidateurs balançait dangereusement son pied vers l'entrejambe de Macchabée-Simard, s'apprêtant à interpréter une nouvelle version du ballet *Casse-Noisette*.

– Hum, hum, fis-je en me raclant la gorge. Que se passe-t-il ici?

Surpris, le trio malfaisant se tourna dans ma direction. Je fus étonné en découvrant l'identité des scélérats. J'aurais été moins stupéfait de tomber sur celui qui m'en avait tant fait baver, mais il ne s'agissait pas de ce bon vieux « roux de fortune ». En face de moi se tenaient les sportifs de l'école. Des élèves reconnus pour leurs médailles, pas pour leur violence : Xavier Lapalme-Dor, un apollon qui remportait tous les marathons ; Philippe Laflamme-Hotte, un footballeur que les filles trouvaient teeeeeellement sexy et « chaud » ; et Joe Blier, un Français ayant tout dans les muscles, rien dans la cervelle (d'où sa mémoire à très court terme).

— Qu'est-ce que tu veux, les barniques? m'invectiva Lapalme-Dor en s'approchant à quelques centimètres de ma face.

À l'évidence, c'était le chef de la bande. Me dépassant d'une bonne tête, il projetait assez d'ombre pour que j'aie envie de m'étendre dans un hamac. Mais j'en avais vu d'autres. Fini le temps où je me laissais marcher sur les pieds. Mes amis me rejoignirent. Leur présence me donna la petite dose de courage dont j'avais besoin.

— Je suis pas certain d'approuver ce que vous faites.

L'assurance de ma réplique me surprit moi-même.

— Va jouer au héros ailleurs, me conseilla Lapalme-Dor tout en me poussant sur l'épaule.

— Casse-toi, Trucmuche, renchérit Joe Blier, avec un parfait accent français.

Je regardai Andréanne et Jo, lesquels acquiescèrent du menton en signe d'appui. C'était bon de savoir que je pouvais compter sur eux.

– Seulement quand vous m'aurez expliqué c'est quoi le problème, spécifiai-je.

– C'est pas du tout ce que tu crois, assura Laflamme-Hotte.

Réplique assez classique, merci.

– Qu'est-ce qu'il faudrait s'imaginer, alors ? les interrogea mon amoureuse.

– On peut demander à « la mouche » sa version de l'histoire, si vous voulez, déclara Lapalme-Dor.

Se retournant, il le désigna du bras, tel un animateur de jeu télévisé présentant un prix. Mais avant qu'on choisisse entre l'œuf et la poule, Xavier remarqua la même chose que nous : Macchabée-Simard avait profité de notre distraction pour prendre ses jambes à son cou ! On le vit tourner le coin, au bout du couloir, au pas de course.

– Hé ! s'écria le chef de la bande. Reviens ici !

Il s'élança dans la direction du fugitif. En marathonien qu'il était, il allait rattraper Charles en quelques secondes. Je partis à sa suite mais, dès que je tournai le coin à mon tour, je fonçai dans le dos de Lapalme-Dor. Arrêté, il secouait la tête, incrédule. Le couloir était vide. Tel un magicien, « la mouche » s'était envolé. Il y avait un passage secret ou quoi ?

Le sprinteur me menaça :

— On va s'en souvenir longtemps, de celle-là, Gravel-Laroche.

Si j'avais désiré de nouveaux ennemis, je n'aurais pas pu faire mieux… Nous bousculant sur leur passage, les sportifs s'en allèrent.

— J'aimerais bien savoir ce qu'ils lui voulaient, ces trois-là…, lança Andréanne.

— Essayons de le retrouver, il nous en dira peut-être plus, décidai-je.

— T'as une idée d'où il a pu aller ? s'enquit Jo.

À mon avis, Macchabée-Simard s'était replié dans l'ombre. Il s'agissait maintenant de trouver laquelle. Je suggérai :

— Faudrait aller voir les endroits peu fréquentés de l'école.

— Les Catacombes, par exemple ? proposa Andréanne.

À ce nom, Jo frissonna. Même s'il savait désormais que les rumeurs entourant cet endroit équivalaient à de la pure fantaisie.

— T'en fais pas, je m'en occupe, le rassurai-je.

— OK, super ! répondit mon ami avec soulagement. De mon côté, je vais aller vérifier la grotte de la « forêt magique ». Ça me surprendrait qu'il connaisse l'endroit, mais on sait jamais…

— Moi, je vais surveiller sa case, compléta Andréanne. Y a de bonnes chances qu'il doive y retourner avant la deuxième période.

— Parfait !

Pour me rendre aux Catacombes, j'empruntai le tunnel qui rejoignait le pavillon principal du centre sportif. Arrivé à destination, je me trouvai devant la porte du lieu maudit. Certains élèves croyaient que, en l'ouvrant, ils seraient accueillis par un démon cornu, des rires machiavéliques et la damnation éternelle. Si seulement ils savaient... Ce n'était rien de plus qu'un vieux débarras où les profs avaient aménagé un local pour répéter de la musique.

Malgré l'interdit, je poussai la porte. Les gonds émirent un grincement à faire dresser le poil sur les bras. Pire que des griffes sur un tableau d'école. Comment se faisait-il que personne n'y mettait les pieds, si la porte n'était pas toujours barrée? Parce que, selon la rumeur, on n'avait jamais revu le dernier qui avait tenté l'expérience... On racontait que a) il s'était fait dévorer par le monstre centenaire qu'abritaient les entrailles de l'école ou b) il avait fini découpé en rondelles pour ensuite être servi à la cafétéria lors d'un midi «Rosbif sauce au poivre». Si on se fiait à la texture de certains morceaux de viande, la seconde option paraissait plausible. Mais la vérité était plus simple: l'élève en question avait tout bonnement déménagé et changé d'école.

– Y a quelqu'un?

Je me sentais ridicule. Croiser des morts-vivants au lendemain d'une explosion nucléaire aurait été plus probable que de trouver un élève ici. Tout de même, j'avançai dans le noir, tentant d'éviter de nombreux vestiges scolaires poussiéreux. Et espérant ne pas recroiser le rat qui avait fait peur à Jo la dernière fois qu'on était venus ici. À première vue, il n'y avait personne. Surpris? Pas tellement. Je pouvais donc retourner voir mes amis. Peut-être que leurs recherches avaient été plus fructueuses.

– BOOOOUH!

– Ahhhhhhhh!

Pendant une seconde, mon cœur cessa de battre. On faillit entendre le biiiiiiiiip continu d'un appareil cardiorespiratoire, annonçant que je venais de rendre l'âme. Qui avait osé me faire peur ainsi? Je plissai les yeux: Macchabée-Simard. Dans la pénombre, il avait un air particulièrement sinistre. Voyant qu'il m'avait fichu la trouille, il s'esclaffa d'un rire glauque.

– T'aurais dû voir ta face! rigola-t-il de sa voix nasillarde.

– C'est pas drôle, pestai-je. Je viens ici pour t'aider et regarde comment tu m'accueilles.

– Excuse-moi. Ha! Ha! Ha! J'ai pas pu m'en empêcher...

Son mea-culpa n'était pas très convaincant, alors je décidai de le contourner pour sortir de cet endroit poussiéreux.

– Attends, P.-A.! me retint-il. Je suis désolé. Pour de vrai. Je voulais te remercier pour ce que t'as fait tantôt.

– De rien, c'était normal, minimisai-je.

Au fond, j'étais heureux qu'il soit reconnaissant.

– Qu'est-ce qu'ils te voulaient, la gang de sportifs?

– C'est un peu compliqué...

Il y eut un court silence incommodant. Pour briser le malaise, je changeai de sujet.

– Comment t'as fait pour les semer aussi vite?

— Ça, c'est mon petit secret, répliqua-t-il, ajoutant un clin d'œil au passage. Je te l'expliquerai un de ces quatre.

Nouveau silence inconfortable.

— Si tu t'es réfugié ici, renchéris-je, tu dois connaître la vérité à propos des Catacombes ?

— Je sais bien des choses…, répondit-il, prenant un air mystérieux et se frottant les mains.

La friction émettait un bruit sec, plutôt désagréable. À ce moment, il avait vraiment l'air d'une mouche (se préparant pour un succulent repas constitué d'ordures en décomposition). Décidément, je comprenais pourquoi il n'avait aucun ami. En sa présence, je ne me sentais pas bien du tout. Et pas seulement à cause de ce tic nerveux… En même temps, s'il y avait une chose que j'avais apprise dans la vie, c'est qu'il ne faut pas se fier aux apparences.

— Écoute, admit-il un bout d'un moment, je me doutais bien que tu viendrais me chercher ici, alors je t'ai attendu… J'aurais besoin de toi.

Enfin, on touchait le cœur du problème. Ayant déjà été intimidé, je comprenais son hésitation : pas facile d'avouer ce qu'on subit et d'oser demander de l'aide.

– Vas-y, je t'écoute.

– Ça fait un moment que ça dure. Ces trois-là me pourrissent l'existence. Et ils ne sont pas seuls… Ça fait des mois que ça dure.

– Pourtant, c'est la première fois que je vois d'autres élèves te bousculer.

– Oui, parce que, d'habitude, c'est plus sournois : je suis victime de cyberintimidation.

– Quoi ?!

Voilà une facette de l'intimidation à laquelle je n'avais pas pensé.

– Je reçois des courriels de bêtises et je peux pas aller sur Facebook sans être bombardé d'insultes. Des forums ont même été créés pour rire de moi.

– T'as juste à les ignorer, non ?

– C'est pas si simple.

Malgré mon look de *nerd* suprême, je ne connaissais rien à la technologie. Le crack en informatique, c'était Jo. J'eus alors un flash :

– Les paroles s'envolent, mais les écrits restent ! Montre les messages que tu reçois à monsieur Lachance. Crois-moi, il va être de ton bord, c'est un bon directeur.

– C'est justement ça, le problème, me révéla Macchabée-Simard. Je peux plus rien prouver : je me suis fait voler mon ordi.

ÉQUIPEMENT

DE SURVIE

Chaque excursion scolaire comportant ses risques,
assure-toi d'être toujours équipé du nécessaire suivant:

**UN CASQUE
DE BAIN**

(pour sauvegarder ta
coiffure, au cas où quelqu'un
voudrait — littéralement —
te « flusher »...)

**UNE PAIRE DE
LUNETTES DE
RECHANGE**

(on ne sait jamais...)

**DES ESSUIE-GLACES
PORTATIFS**

(à l'épreuve des petites boules
de papier reçues en plein visage)

**DES VERRES DE
CONTACT**

(parce que, des fois, ça fait
du bien de passer inaperçu
auprès de ses détracteurs)

**DES SOULIERS
À CAPS D'ACIER**

(pour ne pas se laisser
marcher sur les pieds)

IV

— Y a pas trente-six solutions : il va falloir retrouver ton ordinateur, Charles ! s'exclama Andréanne lorsqu'elle fut mise au courant de la situation.

Macchabée-Simard acquiesça, heureux qu'on veuille l'aider. Son histoire avait eu l'effet d'une bombe sur mes amis et, tout comme moi, les avait motivés à lui donner un coup de pouce. On avait la quasi-certitude que son portable se trouvait encore dans l'école, quelque part. Mais il fallait attendre le bon moment pour faire des fouilles dans les effets personnels des sportifs, nos principaux suspects. Et cette chance se présentait maintenant à nous… sous la forme de boîtes de tablettes de chocolat ! En fin de journée, on nous les avait distribuées dans la salle principale, en vue de la campagne de finan-cement pour le voyage.

– C'est la couverture idéale! s'exclama Andréanne lorsque notre bande se fut éloignée des autres élèves. Ce soir, tous les pensionnaires vont être à l'extérieur du collège pour en vendre le plus possible.

Jo s'empara d'une tablette.

– Qui va payer quatre dollars pour ça? se demanda-t-il. Du chocolat qui n'a même pas de marque…

– Les gens savent que c'est pour une bonne cause, le raisonna Andréanne.

Mon ami se lança dans de savants calculs:

– Combien nous rapporte chaque barre vendue? Un dollar. Pourquoi on demande pas simplement aux gens de nous faire un don?

– Si tu donnes de l'argent directement à un ado, nous expliqua Macchabée-Simard, tu sauras jamais s'il t'arnaque. Dans ce cas-ci, si tu te fais avoir, il te reste au moins le chocolat.

Un inconfort suivit sa réplique. Les sourcils d'Andréanne et de Jo étaient tellement interrogatifs qu'ils se perdaient dans leur cuir chevelu.

Devait-on vraiment se méfier des jeunes comme nous, croyant qu'ils étaient tous des criminels potentiels ? Je refusais d'adhérer à cette vision sombre de l'âme humaine.

S'apercevant que personne n'approuvait ses dires, Charles enchaîna :

— Mais Andréanne a raison : c'est ce soir que ça se passe !

Du haut de sa colline, notre collège surplombait la ville, manifestant ainsi sa supériorité. Lorsqu'on descendait de ce piédestal, on se retrouvait parmi le commun des mortels. Littéralement. La moyenne d'âge devait osciller autour de soixante-dix-huit ans. Les seuls commerces en expansion de cette ville-dortoir : les résidences pour personnes âgées, les pharmacies et… les salons funéraires. D'ailleurs, je craignais les futurs effets de notre produit sur le diabète de nos clients…

Pour que l'ensemble de la ville soit couvert sans que personne n'empiète sur le territoire des autres, chaque groupe avait reçu un parcours particulier. Et vous savez quoi? Le hasard avait fait en sorte que Lapalme-Dor et son équipe se trouvent dans la même rue que nous, mais de l'autre côté! Grrrr! Impossible de retourner immédiatement au collège sans avoir l'air suspect. Je devais donc participer pour de vrai à la vente de chocolat...

Joie.

Avec l'enthousiasme d'une tortue sous sédation, on se dirigea vers notre premier acheteur potentiel. Celui-ci arborait le look je-joue-au-golf-à-longueur-d'année et son activité pour relaxer après une dure journée se résumait à... arroser l'asphalte de son entrée. Croyant probablement que des fleurs allaient finir par y pousser...

— Excusez-nous, monsieur! l'interpella poliment Andréanne. Nous accorderiez-vous une minute de votre temps?

Il grommela quelque chose d'inintelligible et poursuivit sa besogne, comme si sa vie en dépendait.

— Nous aurions du chocolat à vendre, poursuivit-elle.

Second bougonnement. Aurait-il oublié son dentier ?

— L'argent recueilli nous permettra de découvrir la France. C'est une expérience incroyable qui nous est offerte, n'est-ce pas ? Comme on le dit si bien : « Les voyages forment la jeunesse. »

Andréanne était très convaincante. Perso, je lui aurais acheté toutes les tablettes de sa boîte. Mais bon, je ne suis pas super objectif...

— J'ai dit NON, pas intéressé, articula-t-il enfin.

Jo s'avança légèrement.

— Mais...

Il ne put en dire davantage : l'homme tourna son boyau d'arrosage dans notre direction. Comme s'il s'agissait d'un fouet et que nous étions des lions à dompter.

— Hé ! Arrêtez ! m'écriai-je en reculant en même temps que mes amis.

— C'est pas très mature, ça, monsieur ! s'empourpra Jo.

— Allez, ouste! Hors de mon terrain. Je suis chez moi, ici, et vous n'êtes pas les bienvenus.

Un exterminateur aurait probablement pris le même ton en apercevant des cafards. De l'autre côté de la rue, un grand rire retentit. Laflamme-Hotte et les autres nous regardaient, hilares.

— Essayons la prochaine, décréta Andréanne.

Devant nous se dressait maintenant un taudis digne d'un film d'horreur à petit budget. À côté de ça, une cabane morbide au fond des bois passait pour un somptueux palace hollywoodien. Je m'attendais à entendre le bruit d'une tronçonneuse à tout moment. Prenant notre courage à huit mains, on repoussa les ronces qui envahissaient l'entrée et on avança sous le porche. Seul Charles ne semblait pas trop s'émouvoir de l'atmosphère à couper au couteau. Andréanne me montra un autocollant sur la porte: «Pas de colporteur.»

— On devrait peut-être aller ailleurs.

— Ben voyons! s'offusqua Jo. Qu'est-ce que ça change que notre uniforme ait un col?

Avec hardiesse, il appuya sur la sonnette. Réaction: les lumières de la maison s'éteignirent. Et la télévision se tut.

– Bon, ils veulent nous faire croire qu'il y a personne à la maison.

Un grognement retentit. Guttural. Ce bruit provenait-il d'un être humain?!?

– On ferait peut-être mieux d'y aller, suggéra Andréanne.

– T'as raison, je pense, ajoutai-je.

Tous ensemble, on rebroussa chemin. Dans une synchronisation parfaite. Même Charles, plutôt indifférent jusque-là, ne semblait pas avoir envie de terminer sa soirée dans l'œsophage d'un ogre. Un second rire retentit de l'autre côté de la rue. Au loin, Joe Blier cachait mal le divertissement que lui procuraient nos agréables rencontres.

– Ha! Ha! Bande de nazes! nous héla-t-il.

– À la prochaine maison, laissez-moi faire, décida Macchabée-Simard, essayant de ne pas prêter attention à ses intimidateurs.

Notre nouveau compagnon se dirigea vers une habitation vieillotte, décorée telle une maison en pain d'épice. Ça donnait presque le goût de se présenter en disant : « Bonjour, nous sommes Hansel et Gretel ! » Charles cogna et la porte s'ouvrit. Un instant, je crus vraiment être accueilli par la sorcière du conte des frères Grimm. Elle avait le physique de l'emploi : dos courbé, mains noueuses, chevelure grisâtre ébouriffée, pustule gigantesque sur le bout du nez. Et que dire de son menton poilu…

— Bonsoir, vous quatre, fit la vieille dame.

Sa gentillesse nous empêchait de la pressentir pour ce rôle (au moins !).

— Enchanté, madame, clama Macchabée-Simard en réel gentleman. Nous sommes des élèves du collège voisin et nous voulons visiter Paris. Pour ce faire, nous vendons ces barres de chocolat à un prix ridiculement bas. Auriez-vous l'amabilité de nous encourager ?

— Mais bien sûr !

Pourtant, elle ne bougea pas d'un poil (de menton).

— Madame? insista Charles.

— Qu'y a-t-il?

— Euh… La tablette de chocolat?

— Ah oui! C'est vrai! Pardonnez ma mémoire...

À la vitesse d'un escargot paraplégique, elle alla chercher une sacoche qui ressemblait à un scalp de caniche. On lui rendit la monnaie et elle reçut sa tablette de chocolat. Tout simplement. Bon, le porte-à-porte n'était pas si sorcier, finalement! Avant notre départ, la vieille dame glissa un vingt-cinq sous supplémentaire dans la paume de Jo.

— Ça, c'est pour vous. Vous irez vous acheter une p'tite liqueur.

Elle lui fit un clin d'œil et referma la porte. Observant la pièce de monnaie, Jo maugréa:

— Quelqu'un devrait lui dire qu'on n'est plus en 1950 et qu'une canette, ça coûte pas vingt-cinq cennes…

Au loin, l'équipe de Lapalme-Dor nous avait devancés. Les sportifs se dirigeaient vers une rue perpendiculaire à la nôtre. Enfin! Ils ne pourraient plus nous épier. J'avertis mes coéquipiers:

— C'est le moment!

— Je t'accompagne, décida Jo.

— Je te l'ai dit tantôt, répliquai-je, c'est pas la meilleure idée. Ça va être suspect si les trois quarts de notre équipe de vente disparaissent d'un coup.

Je désignai Macchabée-Simard du doigt:

— C'est plutôt Charles qui devrait me suivre: c'est le mieux placé pour reconnaître son ordinateur.

— La description de mon ordi, tu la connais; je t'en ai parlé en long et en large, mentionna-t-il. Je te fais entièrement confiance pour le retrouver.

Euh… Pourquoi changeait-il notre plan, tout à coup? Il fit un sourire indéchiffrable et ajouta:

– En plus, je suis le meilleur vendeur de l'équipe!

Il n'avait pas tort. Mais… ça voulait dire que je devrais y aller seul!?

– J'aime pas trop ça, commenta Andréanne. Mais c'est vrai qu'en solo, P.-A., tu vas moins attirer l'attention.

Pour me donner le courage nécessaire, elle m'embrassa.

– Sois prudent.

J'eus même droit à un second baiser. Wow! Accomplir des gestes hasardeux, périlleux ET imprudents avait ses avantages en fin de compte!

Je fis mon possible pour ne pas être vu en retournant au collège. Ni par les autres élèves ni par les enseignants-accompagnateurs. Mission accomplie? Je l'espérais. Personne ne semblait avoir déjà vendu tout le contenu de sa boîte et, au rythme où les barres de chocolat trouvaient preneur, j'avais du temps devant moi. Beaucoup. Le soleil commençait à tomber à l'horizon et toutes les lumières avaient été allumées dans l'école. Tant mieux, ça allait faciliter mes recherches. En plus, notre surveillant, Monsieur Net, avait déserté son territoire pour veiller au bon déroulement de la collecte de fonds. L'ordinateur pouvait être caché n'importe où. Mais j'allais commencer par l'endroit le plus évident : le dortoir.

Tout à coup, une ombre défila sur le mur devant moi.

Une ombre **énorme**.

Pas de panique, P.-A.! Je respirai par le nez et me ressaisis rapidement, désormais habitué à ce genre de surprise. La forme rebondie de la silhouette ne laissait qu'une hypothèse à mon esprit. Je passai donc ma tête au détour du couloir pour vérifier. Supposition confirmée : c'était notre bedonnant concierge, Marcel. Aucun danger de ce côté : il n'était pas du genre à se préoccuper des jeunes. Preuve supplémentaire qu'il ne m'avait pas vu? Il s'éloigna en sifflotant, aussi heureux qu'un oiseau en cage. Bon, je pouvais poursuivre mon chemin.

Jusqu'à maintenant, cette mission était simple comme bonjour (ou *sayonara*, pour nos lecteurs japonais).

Quelques minutes plus tard, je me trouvai devant les deux portes du dortoir. Avant de les ouvrir, je jetai un coup d'œil à l'intérieur à travers la petite vitre du haut, par pure précaution.

Oh non ! Il y avait quelqu'un !

Je m'agenouillai aussitôt pour ne pas trahir ma présence. Avais-je halluciné ? Pas du tout. Je l'aurais reconnu n'importe où. Il s'agissait bel et bien de Francis Lebœuf-Haché, l'énorme bras droit qu'on appelait en renfort pour les sales besognes !

Que faisait-il là ?

Apparemment, il avait opté pour le bon vieux truc qui consiste à acheter sa propre boîte de chocolats pour ne pas perdre de temps à la vendre… Et, à voir la barbichette chocolatée qui se dessinait autour de ses lèvres, il s'agissait d'un client satisfait. Hum… En plus, il ne semblait pas vouloir sortir du dortoir.

Comme s'il montait la garde.

CONSEIL N° 28

Si ton voisin louche vers ta copie pendant un examen, n'écris pas tout de suite les bonnes réponses sur ta feuille. Attends plutôt que le tricheur ait remis la sienne, l'air tellement fier d'avoir fini avant toi, et change ensuite tes réponses. ☺

Sa face en te voyant tout effacer = priceless!

V

Quel lien pouvait-il bien y avoir entre Lebœuf-Haché et le trio de sportifs? Aucune idée. Mais ça piquait ma curiosité, c'est sûr. Selon moi, la réponse avait un rapport avec l'ordinateur volé de Charles.

Par contre, quelques difficultés se présentaient si je voulais le prouver :

1) Comment éloigner Francis de son poste?

Normalement, j'aurais pu l'attirer avec le bon vieux truc de la friandise au bout d'une corde et d'un bâton. Mais, avec ses doigts qui ressemblaient maintenant à dix cornets trempés dans le chocolat, il avait l'air rassasié.

2) Où et comment récupérer le portable?

Un des intimidateurs le gardait probablement dans sa case à effets personnels, là où on rangeait nos bidules coûteux interdits par l'école : iPod, lecteur MP3, téléphone cellulaire, etc. Notre « tour de bébelles », comme la surnommaient les adultes. Le hic majeur ? Étant donné la valeur de leur contenu, on cadenassait nos cases. D'ailleurs, le fait que Lebœuf-Haché montait la garde malgré cette protection initiale m'indiquait l'importance de ce qui s'y cachait.

C'était risqué. TRÈS risqué.

Rapidement, j'établis un plan. Chances de réussite : 0,3 %.

Première étape : entrer dans le dortoir. Un défi de taille. Ouvrir la porte sans être vu ni entendu par le gros Francis n'allait pas être une mince tâche. La lumière du couloir pouvait me faire repérer en moins de deux secondes. À la maison, les interrupteurs se trouvaient à portée de main. Pas ici. Cet inconvénient était maintenant en haut de ma liste des priorités. Heureusement, durant ma suspension en deuxième secondaire, j'avais vu le panneau d'électricité dans le local du concierge.

Le cagibi en question se trouvant à quelques pas, je vérifiai la porte : pas barrée, comme je le pensais. Marcel n'était pas du genre à se soucier de son matériel (c'est sûr que de revendre un « débouche-toilette » volé sur eBay, ce n'est pas super facile…). À l'intérieur du réduit, j'aperçus le panneau en question ainsi que de nombreux interrupteurs : B8, N36, O68, etc. En me fiant au plan de l'école collé sur le mur, je tentai ma chance avec le I22. Bingo ! À l'extérieur du débarras, toutes les lumières s'éteignirent. Voilà qui allait assurément piquer la curiosité de Lebœuf-Haché.

De retour devant les portes du dortoir, je risquai un coup d'œil. Le bulldog de garde demeurait à son poste. Grrrrrr… Comment le faire bouger ? Avec une remorqueuse ? N'en ayant pas sous la main, j'avais besoin d'un plan B. Allez savoir pourquoi, mais mon instinct (animal ?) me dicta de gratter à la porte. De plus en plus fort. Tel un chat voulant réveiller son maître au beau milieu de la nuit pour avoir son déjeuner trois heures à l'avance. Pour compléter le portrait, j'ajoutai un miaulement presque convaincant.

Miaou.

Coup d'œil supplémentaire.

Super! Il se dirigeait vers moi! Je lâchai quelques miaous additionnels et me plaçai de façon à ne pas être vu lorsqu'il ouvrirait la porte, mais… Francis restait dans l'embrasure. Zut! Il hésitait. Sûrement en raison du couloir soudainement plongé dans le noir. Grâce à la lumière du dortoir, il voyait à deux mètres devant lui, pas plus. Peut-être que si je lançais un objet pour faire du bruit au loin?… Idée plutôt moyenne. Trop de risques qu'il s'aperçoive que ça venait de ma position. Heureusement, il décida d'avancer, me laissant juste assez d'espace pour que je passe derrière lui, entre dans le dortoir et plonge sous le premier lit venu. Timing parfait et sans éclaboussures. De quoi rendre Alexandre Despatie jaloux!

Lebœuf-Haché ne s'était rendu compte de rien et il revenait monter la garde. Est-ce que: a) je possédais du sang ninja? b) Francis avait les yeux dans la graisse de bine et un musée de cire dans l'oreille? Hum… Laisse-moi y réfléchir. OK, je vais y aller avec la famille et choisir la deuxième option.

Cela dit, ma situation n'était pas très reluisante. Le plancher non plus, d'ailleurs… Les moutons de saleté s'y prélassaient et semblaient sur le point de bêler, vu leur taille. Coincé là, je ne pouvais pas accomplir grand-chose. En plus, la suite de mon plan était compliquée : je devais récupérer des pinces pour couper l'acier afin de faire sauter le cadenas de la case surveillée par Francis. Seul endroit pour m'en procurer : le bureau des surveillants. Et ce dernier se trouvait tout au fond du dortoir. J'allais donc devoir me faufiler sous une trentaine de lits pour ne pas être vu. Super...

Je rampai vers le lit suivant. La couleur de mon uniforme passa du bleu marine au gris pâle, gracieuseté de la salubrité ambiante. Je répétai la même manœuvre jusqu'au lit numéro trois. Cette fois, mon visage se retrouva à deux centimètres d'une bobette Fruit of the Loom à la propreté douteuse.

Dégueu.

Ce manège ne pouvait plus durer, mon estomac ne le supporterait pas. Heureusement, la chance me sourit à ce moment et Francis quitta son poste. Il se dirigeait vers les toilettes. Génial ! Qui doit tirer la chasse perd sa place ! Je sortis de ma cachette et courus vers le bureau des surveillants... mais un autre problème m'y attendait: Monsieur Net avait verrouillé la porte. Pourquoi n'y avais-je pas pensé plus tôt? Il ne me restait plus qu'une seule option: briser le carreau au-dessus de la poignée. Il fallait vraiment que je veuille mettre fin à l'intimidation dans mon école pour me résoudre à un geste aussi extrême! À ce moment précis, j'aurais aimé qu'un vieux sage comme Gandalf apparaisse pour réparer le tout d'un tour de baguette. Mais Francis risquait de terminer ses besoins avant qu'un magicien ne réponde aux miens. Avec un pincement au cœur, je donnai un coup de coude sur la vitre. Le carreau céda. Promis, j'allais faire un don anonyme au collège pour couvrir les frais de mon geste. Avec précaution, je passai ma main à l'intérieur, tournai la poignée et me dépêchai d'y entrer.

J'entrouvris une première armoire. Elle était remplie d'objets confisqués, du sac à flatulence en caoutchouc à un éventail surprenant de bombes puantes et même à un masque de lutteur mexicain. Ah ha! Voilà qui pourrait me permettre de demeurer anonyme, si Francis me surprenait. Sans hésiter, je l'enfilai. Pouah! Il y régnait une odeur insupportable, mélange de cuir chevelu et de croustilles sel et vinaigre. En plus, je voyais très mal à travers les minces ouvertures pour les yeux. Par contre, pour passer incognito, mettre mes lunettes par-dessus mon camouflage ne serait pas très futé.

Dans le miroir accroché au mur, je perçus mon reflet. Isssshhh… Appelez-moi Pedro-Antoine Sang-Chaud, *señor*. Bon. Ressaisis-toi, P.-A. Où Monsieur Net gardait-il son coffre à outils ? À tâtons, j'optai pour la penderie.

Oh yes !

Je venais de trouver la gigantesque paire de cisailles.

— Hé ! Qu'est-ce que tu fais là, toi !

Oh noooon !

Lebœuf-Haché avait rappliqué !

En sursautant, j'eus un réflexe étonnant, digne d'un lutteur acclamé par une foule en délire (¡Pedro ! ¡Pedro !). Je lui pris un poignet, tirai de toutes mes forces et lui fit un croc-en-jambe. Il ne s'attendait pas à cela – moi non plus ! – et il s'étala de tout son long, provoquant un léger tremblement de terre. Le temps qu'il se relève, j'étais sorti du bureau des surveillants.

Pour l'embarrer, je pris une chaise que je plaçai contre la poignée, de façon à bloquer la porte. J'avais déjà vu ça dans un film. Mais, en voyant la force avec laquelle Francis Ze-Big-Saucisse frappait sur celle-ci, je remettais en doute l'efficacité de cette technique. Impossible que ça tienne longtemps.

Je me catapultai vers les cases personnelles.

Laquelle Lebœuf-Haché protégeait-il, déjà? Numérotées, elles n'étaient pas identifiées. La 328? Si ma mémoire photographique était bonne, c'était celle de Lapalme-Dor... Je fis sauter le cadenas. Argh! Rien à part une montre et un téléphone cellulaire. Plus la soirée avançait et plus je causais des dégâts. Et si je me trompais sur toute la ligne?

BANG! BANG! BANG!

Le poing de Francis allait défoncer la porte d'une seconde à l'autre.

La 329, alors? J'appliquai toutes mes forces sur les extrémités des cisailles et le cadenas déclara forfait en une seconde. *A-rriiii-ba!* Il y avait un ordinateur portable dans celle-ci. Avec le logo – une rose noire – que m'avait décrit

Macchabée-Simard. Enfin, c'est ce qu'il me semblait… J'avais de la difficulté à voir avec mon masque.

BANG! BANG! BANG!

Mon temps était compté si je ne voulais pas que Lebœuf-Haché sorte et me retire mon déguisement, révélant mon identité comme dans un épisode de *Scooby-Doo*. Je devais donc me contenter de ma trouvaille et partir au plus vite!

J'attendis mes amis pendant une bonne demi-heure dans les Catacombes. Je commençais presque à m'y sentir chez moi. En tout cas, l'ambiance funeste qui y régnait passait pour une véritable séance de relaxation après ce que je venais de vivre. Mes comparses arrivèrent enfin.

— Est-ce que tu l'as? me demanda Charles, anxieux.

Je lui tendis l'appareil et son visage s'illumina d'un coup.

— C'est lui! C'est bien lui! s'écria-t-il. Merci, P.-A.!

Je faillis lui mentionner que le design du portable, avec la rose noire, était un peu étrange pour un gars. Mais je me retins. Chacun ses goûts, non? Jo me donna une tape dans le dos en guise de félicitations et Andréanne me prit dans ses bras.

— Ç'a bien été? m'interrogea-t-elle, l'air inquiète. Personne t'a vu?

— Tout a été numéro un... à part Lebœuf-Haché qui montait la garde dans le dortoir.

— QUOI!? s'étonna Jo. Qu'est-ce qu'il vient faire dans cette histoire?

— J'aimerais bien le savoir...

— Ça veut dire qu'il sait ce que t'as fait? s'étonna Andréanne.

— Pas exactement... J'ai été sauvé par ceci.

Je leur montrai mon masque de lutteur mexicain et ils éclatèrent tous de rire.

— Quel voleur professionnel tu fais, *hombre*! me lança mon meilleur ami.

— *Gracias!*

Pendant ce temps, Macchabée-Simard cherchait une prise de courant pour son portable.

— P.-A., où t'as mis le câble pour le recharger?

Gloup…

— Ben… c'est que…

— TU L'AS PAS PRIS AVEC TOI?!?

Son visage pâlot vira au rouge vif. Pour un gars aussi chétif, il pouvait se montrer étonnamment colérique!

— J'aurais voulu t'y voir! m'offusquai-je.

— Relaxe, Charles, le calma Jo. Il reste sûrement assez de batterie pour que tu puisses récupérer les preuves dont t'as besoin.

— J'espère…, marmonna-t-il entre ses dents.

Jo, l'expert en informatique, poursuivit:

— Au pire, si la charge est faible, t'as qu'à t'envoyer tout ça par courriel pour le récupérer à partir d'un autre ordi.

Cette solution sembla apaiser légèrement Charles. Il alluma l'ordinateur et poussa un soupir de soulagement.

— La batterie est encore pleine.

Je souris. Au moins, je n'avais pas fait tout ça pour rien! Malheureusement, la réplique suivante de Macchabée-Simard me prouva le contraire:

— L'ordi est vide! Toutes les données ont disparu!

TYPES DE LUNETTES

Pour éviter de tomber dans un piège, il faut regarder où on met les pieds. Tâche de choisir la paire de lunettes qui conviendra à ta personnalité!

LUNETTES DU MYOPE

Les nerds reviennent à la mode!

LUNETTES FUMÉES

M.I.B.
(Myope in black)

MONOCLE

Appelez-moi comte Myope!

LUNETTES À FOYER

Myope à temps partiel

LUNETTES À GROSSE MONTURE CARRÉE

Mon grand-papa est plus cool que le tien!

LUNETTES « ŒIL DE CHAT »

Parfait pour jouer Catwoman dans le prochain *Batman*

LUNETTES RONDES

Je suis une vedette ou un magicien (ou les deux en même temps)

VI

Le lendemain, tout le dortoir fut abruptement réveillé par un Monsieur Net en colère.

– HIER SOIR, IL S'EST PRODUIT UNE SOUILLURE INNOMMABLE DANS LE DORTOIR!!

La veille, la nouvelle du vandalisme avait rapidement fait le tour de l'école. Les élèves ne furent donc pas surpris de ce sermon.

– Certains ont profité de l'activité de financement pour commettre une impureté.

Il prit une pause dramatique, cherchant dans nos yeux le moindre signe de culpabilité. Il continua avec un langage qui lui était propre:

– C'est l'honnêteté de tous les autres élèves de l'école que le ou les coupables ont entachée.

S'il continuait ainsi, j'allais finir par me sentir honteux…

– Comme je craignais depuis longtemps que ce genre d'événement ternisse mon travail, poursuivit-il, j'avais déjà demandé du renfort à la direction. Je constate que mon collègue arrive à point nommé.

La porte du bureau des surveillants s'ouvrit et Monsieur Net tendit un bras pour désigner la monstrueuse pièce d'homme qui venait d'apparaître à ses côtés.

– Je vous présente monsieur Robert.

Le nouveau surveillant avait l'air plus androïde qu'humain. Cheveux blonds coupés en brosse, pommettes saillantes et visage taillé au couteau. Robocop pouvait aller se rhabiller.

– Souhaitez ne jamais avoir affaire à lui! nous avertit Monsieur Net sur un ton lugubre.

Une fois mes remords mis de côté, je repensai à cette histoire d'ordinateur. Pourquoi enfermer un objet à quadruple tour s'il ne contenait plus les fichiers incriminants!? Quelque chose clochait dans cette histoire, mais je n'arrivais pas à mettre le doigt dessus. Comme je m'étais sali les mains en subtilisant le portable, je devais maintenant en avoir le cœur net.

Sur l'heure du dîner, je trouvai donc un prétexte pour me retrouver seul: une récupération avec monsieur Cérosse, René de son prénom. Il s'agissait du remplaçant de monsieur Réjean, notre prof de maths, emprisonné à la suite des événements d'octobre dernier. D'origine grecque, René Cérosse possédait un appendice nasal légendaire. Mais il ne fallait pas le lui rappeler. Surtout pas! Plutôt susceptible, le monsieur… Un jour, on avait tous été punis parce qu'un comique avait écrit cette comptine au tableau: *Son nom ne se termine pas en* o / *Mais il ferait un beau trio / Avec Cyrano et Pinocchio !*

Toutefois, plutôt que d'aller à ladite récupération, comme annoncé à mes amis, je me dirigeai vers ma réelle destination: les Catacombes. Je voulais vérifier moi-même les dires de Macchabée-Simard quant aux données effacées – ce que le couvre-feu m'avait empêché de faire la veille. Malheureusement, je tombai en chemin sur Lebœuf-Haché et la bande de sportifs.

— Alors, la vente de chocolat a été bonne? m'apostropha Lapalme-Dor.

Je n'aimais pas son ton ironique. Se doutait-il de quelque chose? Sans broncher, je rétorquai:

— Excellente. On a vendu toutes nos boîtes. Et vous?

Joe Blier prit ma question au sérieux et il se mit à compter sur ses doigts pour se rappeler le nombre exact. Laflamme-Hotte lui donna un coup de coude.

— Une rumeur court dans l'école…, relata le chef de la bande.

Je fis l'innocent:

— Ah oui?

J'allais ajouter: «À quelle vitesse? Elle est pas trop essoufflée, j'espère?» Mais je me retins.

— On raconte qu'il y aurait un voleur parmi nous, soutint-il. Un voleur avec un faible pour les masques et les tacos…

Comment pouvaient-ils me soupçonner?! Outre le déguisement, je portais exactement le même uniforme que tout le monde. Mes lunettes sous le masque m'auraient-elles trahi?

— C'est pas lui, confirma Lebœuf-Haché.

Jamais je n'aurais cru qu'un son sortant de la bouche de Francis pourrait me rendre aussi heureux!

— Le gars était super grand, indiqua-t-il, mimant le tout avec sa grâce (grasse?) habituelle. Et ultra-bâti.

Un vrai pêcheur racontant une histoire. On y croyait presque. À l'entendre, le petit poisson était devenu une baleine.

— Ouin…, approuva Laflamme-Hotte, c'est pas ce minus-là qui aurait pu te jeter par terre.

— On va quand même te garder à l'œil, précisa Lapalme-Dor.

— Allez, ouste, le binoclard! ajouta Joe Blier pour me donner mon congé.

J'acquiesçai de la tête et m'enfuis sans demander mon reste. Je n'arrivais pas à croire que je m'en tirais à si bon compte.

Ayant peur de se faire voler son ordinateur à nouveau, Charles avait décrété qu'il serait plus prudent de le laisser aux Catacombes. Lorsque j'y remis les pieds, je soulevai le drap sous lequel on l'avait caché. Un nuage de poussière me remonta au visage, me faisant éternuer. Quand le cumulonimbus de saleté s'estompa, j'allumai le portable. J'y découvris un fond d'écran identique au revêtement extérieur de l'appareil. Sous la rose noire, on retrouvait une phrase énigmatique: «Compagnons obscurs, suivez-moi dans la noirceur.» Comme le diraient les Anglais: «Ouhh! *Creepy!*» (En français, ça sonne comme «crêperie», ce qui est un peu moins épeurant, mais ô combien plus appétissant!) Cependant, venant d'un gars dont la chevelure rappelait un corbeau écrasé sur le bord de l'autoroute, était-ce si surprenant?

Tout à coup, une boîte clignotante apparut dans le coin de l'écran. Il s'agissait d'une conversation virtuelle. Macchabée-Simard n'avait pas quitté son programme et quelqu'un entamait un dialogue. Ma curiosité était piquée et je ne pus m'empêcher de l'ouvrir :

> **Mister_sexy666 dit:** Qui est là ?

Étonnant ! Ce Mister démoniaque n'était pas seulement sexy, il savait aussi écrire autrement qu'au son. Pas de : « C ki ? » Tant mieux. Devais-je lui répondre ? Après tout, il ne s'agissait pas de mon ordi. Mais… Et si cette conversation prouvait la cyberintimidation que subissait Charles ? Ah, et puis zut ! Qui ne risque rien n'a rien. Je me mis à taper sur le clavier :

> **La_RoSe_NoIrE dit:** Je me pose la même question.

Un instant, je fus surpris par ce que je voyais sur l'écran : dans ce dialogue, la rose noire, c'était moi.

> **Mister_sexy666 dit:** C'est toi qui as volé mon ordinateur ?

La_RoSe_NoIrE dit: Pas du tout. C'est MON portable.

Mister_sexy666 dit: Menteur!

Soudain, l'appareil émit un avertissement: la batterie allait rendre l'âme d'une minute à l'autre. Mais… elle était pleine, pas plus tard qu'hier! Vite! Je devais découvrir l'identité de mon interlocuteur!

La_RoSe_NoIrE dit: Qui me lance ces fausses accusations?

Mister_sexy666 dit: Tu le sais très bien.

Non, je ne le sais pas! C'est pour ça que je te le demande, innocent! Dépêche-toi d'avouer avant que le portable me lâche!

Mister_sexy666 dit: Je vais te donner un indice…

Bonne idée.

Mister_sexy666 s'est déconnecté.

Il est parti !? Pfff… Tu parles d'un indice ! À mon tour, je cliquai sur «Déconnexion». Une autre boîte apparut alors au bas de l'écran. Elle indiquait : La_RoSe_NoIrE vient de se connecter.

Mais… attendez une seconde… C'est moi, La_RoSe_NoIrE ! Qui d'autre pouvait avoir accès au compte ?

Le nom de l'utilisateur se modifia et devint : La_RoSe_NoIrE_sE_fAiT_vOlEr_SoN_iDeNtItÉ.

Hein ?

Puis l'écran s'éteignit d'un coup. Argghh ! La batterie venait de rendre son dernier souffle. Aucune chance que je lève le voile sur le mystère, maintenant. Découragé, je refermai le portable. C'est à ce moment-là qu'une voix surgit de nulle part, me faisant sursauter :

— Qu'est-ce que tu fais là ?

Charles ! Décidément, il avait le don de me faire des frousses du diable !

– Rien…, répondis-je, le souffle court. Je m'assurais que l'ordinateur était toujours en place, c'est tout.

– T'avais pas une récup' ce midi ?

Je me sentais en plein interrogatoire policier. Si j'avais eu une grosse lumière dirigée sur mon visage et des coups de bottin téléphonique à quelques endroits stratégiques, le portrait-robot aurait été complet.

– Oui, oui… Mais monsieur Cérosse a rapidement senti que j'étais prêt pour l'examen, balbutiai-je. Il a le pif pour ce genre de choses.

Silence inconfortable.

Macchabée-Simard se ressaisit et reprit un air plus amical :

– Excuse-moi, je voulais pas faire de sous-entendus ou te rendre mal à l'aise. C'est juste que j'ai encore de la difficulté à accorder ma confiance aux gens… Mais, avec votre gang, c'est différent. Je sens que vous voulez vraiment m'aider.

Effectivement. Sauf que son caractère changeant rendait la tâche difficile. J'avais l'impression que, si on lui posait trop de questions, il se refermerait sur lui-même d'un seul coup. Quels traumatismes avait-il bien pu vivre pour en arriver là dans ses relations interpersonnelles?

Charles me retira l'ordinateur des mains et me demanda:

– Tu l'as utilisé?

– Non. La batterie est morte.

Sans même savoir pourquoi, j'avais menti. Pour me couvrir, j'ajoutai:

– Quelqu'un l'a donc utilisé depuis hier soir…

– T'en fais pas, c'est moi.

– Comment ça? Tu nous as dit qu'il était vide d'informations?

– Je croyais que oui, mais je voulais m'en assurer en fouillant davantage le disque dur.

— T'as trouvé ce que tu cherchais?

— Négatif…

Silence inconfortable numéro deux.

— On fait quoi, maintenant? m'enquis-je. On abandonne?

— Pas du tout! répliqua-t-il avec fermeté. Les preuves existent encore, j'en suis sûr. Les intimidateurs gardent souvent des traces de leurs méfaits, comme des vidéos qu'ils peuvent regarder pour revivre leur sentiment de supériorité.

— Des vidéos?

J'avais déjà entendu parler de ce type de comportement pathologique, mais là, ça dépassait ce que j'avais pu imaginer.

— Qu'est-ce qu'ils t'ont fait, coudonc? le questionnai-je, contenant difficilement ma fureur.

— J'aimerais mieux garder ça pour moi, confessa Macchabée-Simard, embarrassé. C'est pas le genre de choses que je voudrais qu'on sache…

– Je comprends… Alors, c'est quoi, la prochaine étape ?

– Ils ont conservé les fichiers ailleurs, c'est clair.

Je voyais où il voulait en venir. Et je n'aimais pas ça du tout.

– Tu veux dire qu'il va falloir voler un objet qui, ce coup-ci, t'appartenait pas au départ ?

– Exact.

Eh misère ! Ça devenait de plus en plus compromettant. Quelle idée j'avais eue de vouloir défendre tout le monde, aussi… Même si je voulus décliner son offre, tout ce qui sortit de ma bouche fut :

– Tu peux compter sur moi.

– Je le savais !

Il me donna une poignée de main qui se voulait triomphante, mais qui demeura moite et mollassonne.

– Avant, j'aimerais que tu m'expliques pourquoi il y a une rose noire sur ton ordinateur. Il doit bien y avoir une raison à ce look si fémi… euh… particulier?

Charles me lança un regard blessé.

– Pour de vrai, j'aurais préféré que tu ne me poses pas cette question.

– Désolé, m'excusai-je, voulant me rattraper. Je pensais pas que…

– Non, c'est correct. Je vais te le raconter. Parce que t'es mon ami.

Il prit une grande respiration et poursuivit avec une voix chevrotante:

– Il y a cinq ans, mes parents sont allés voir une comédie musicale présentée à Montréal. Trop jeune pour m'intéresser à ce genre d'événement, je suis resté à la maison avec une gardienne. Et… je ne les ai jamais revus. Cette nuit-là, les conditions routières n'étaient pas idéales. À leur retour, alors qu'ils attendaient à un feu rouge, un chauffard leur a foncé dessus. Ils sont morts sur le coup. Tous les deux. Et, depuis ce temps-là, j'habite avec mon oncle.

Un autre silence s'ensuivit.

Un très long silence, cette fois.

J'étais sans voix. Jamais plus je ne regarderais Charles de la même façon ou porterais des jugements sur son comportement parfois étrange. Aussi groggy qu'un lutteur ayant survécu à trois rounds contre The Rock, je réussis à articuler:

– Quel est le rapport avec la rose?

– C'était le symbole préféré de ma mère.

La porte des Catacombes s'ouvrit à ce moment-là:

– Ahhhh! C'est ici que vous êtes. On vous cherche depuis tantôt!

Andréanne venait d'entrer, accompagnée de Jo.

– Dépêchez-vous, renchérit-elle, vous êtes en train de manquer les inscriptions pour les olympiades!

Visiblement excitée par cet événement, elle ressortit aussitôt en coup de vent. Comparativement à la révélation que venait de me faire Charles, Andréanne représentait une véritable brise de fraîcheur. Soudain, tout ce que je désirais, c'était suivre l'effluve laissé par son doux parfum printanier et ne plus jamais remettre les pieds dans ce lieu qui, à nouveau, m'apparaissait tel qu'il était, c'est-à-dire... étouffant.

Tout bon *nerd* se doit d'avoir un bagage de connaissances générales impressionnant. C'est maintenant le temps de tester les tiennes, avec un premier

MYOPE-QUIZ

1.   Qui est Boba Fett ?

   a)   Le nom du figurant qui meurt à la fin de chaque épisode dans les vieilles séries de *Star Trek*.

   b)   L'inventeur d'un jeu similaire à Jean dit…, lequel commence toujours par : Bob a fait…

   c)   Un célèbre tueur à gages intergalactique, personnage de *Star Wars* arborant un casque qui serait idéal pour une balade en motoneige.

   d)   Une marque de caleçons suédoise disponible chez IKEA (il faut toutefois les assembler).

   e)   Un personnage historique du seizième siècle, connu pour sa participation à la guerre de Sécession (1861~1865), lequel avait toujours tellement froid qu'il décida de changer son nom de famille, mais oublia un «r» au passage.

VII

Tandis que je rattrapais Andréanne, le terrible secret de Charles me brûlait les lèvres. Avant de quitter les Catacombes, il m'avait glissé à l'oreille qu'il préférerait que je garde ses révélations pour moi. Allais-je réussir à les cacher à mon amour, moi qui partageais tout avec elle? Oui, il le fallait, car il n'était pas question de trahir la confiance de mon nouveau complice.

Lorsque j'arrivai à la salle principale, la surprise me figea sur place: c'était vraiment le monde à l'envers là-dedans!

En temps normal, durant la pause du dîner, la maturité des élèves chute dramatiquement. On assiste donc à des classiques tels que la « tague » – barbecue ou non –, voire à des répliques du genre « C'est lui qui a commencé, pas moi! », le tout entrecoupé de chamailleries dignes d'enfants de maternelle.

Mais pas ce midi. Tous étaient debout, en rang d'oignons et silencieux, pratiquement au garde-à-vous. On se serait cru dans un rassemblement militaire. Je m'attendais presque à voir surgir un sergent qui s'assurerait de voir son reflet dans nos bottes parfaitement cirées.

– Qu'est-ce qu'on a manqué ? demanda Jo à un des gars près de la porte.

– Chuuuut !

Monsieur Lachance venait de monter sur la scène. À ses côtés, protégé dans son dôme en verre, le glorieux trophée des olympiades luisait davantage qu'à l'habitude, si c'était possible. Bombant le torse, notre directeur enroula son index dans l'une des extrémités de sa longue moustache rousse et prit un ton grandiloquent :

– Mesdames et messieurs, l'heure est venue de vous présenter les intrépides élèves qui s'affronteront dans le cadre des quarante-huitièmes olympiades de l'école !

Le degré d'attention rappelait celui d'une messe en 1955, notre directeur faisant office de prédicateur. D'une seconde à l'autre, quelqu'un allait se présenter en fauteuil roulant pour se faire toucher le front, se lever miraculeusement et repartir ensuite en dansant la gigue (alléluia!).

– La première équipe se nomme... les Effroyables Gladiateurs!

Ouf... Il fallait se donner des surnoms, en plus!?

Les très peu «effroyables» en question montèrent sur scène. Quel était le slogan des gladiateurs romains, déjà? *Ceux qui se préparent à mourir te saluent?* Ça ne pouvait pas mieux s'appliquer dans leur cas, car leurs chances de survie m'apparaissaient nulles... Les Maigrichons, voilà un nom qui aurait été plus approprié. De toute la bande, Sébastien Morand-Voyer était le plus bâti. Ses coéquipiers s'avéraient tous du même acabit: Guillaume Gemme-Laliberté (un élève ayant tendance à sécher ses cours); Arthur Cœurderoi-Lecavalier (un garçon frêle avec des manières d'une autre époque); Valérie Laplante-Dujardin (une fille qui n'était pas reconnue pour sa vigueur); et Harry Labine-Allard (dont le grand-père avait fait fortune avec la Harry Co., une compagnie de fèves en conserve).

Il y eut quelques applaudissements… polis.

— Ce n'est pas tout! proclama monsieur Lachance. Nous avons aussi les Lions indomptables!

Bon… le monde animal, maintenant.

Tous les membres d'une même famille, les Faucher, montèrent sur scène: les triplés Pierre, Jean et Jacques, ainsi que leurs cousins, Samson et Da-Lilas, victimes de parents qui avaient voulu être trop originaux. Les acclamations se firent un peu plus nombreuses que pour l'équipe précédente, mais on était loin du délire. Le directeur salua toute la famille (oui, je sais, il est plutôt rare de voir autant de Faucher dans un collège de riches comme le nôtre…) et reprit la parole, son ton enjoué compensant notre manque d'engouement:

— Et voici les Parfaits Champions!

Cinq jeunes supplémentaires montèrent sur scène. Euh… Jamais vus de ma vie. Les Parfaits Inconnus, ouais. Personne n'applaudit. La fébrilité de la salle s'étiolait à vue d'œil.

— Comme vous le pouvez le voir, enchaîna monsieur Lachance sans se laisser désemparer, nous avons recruté trois valeureuses équipes.

Je ne crois pas que le premier mot qui me serait venu à l'esprit aurait été « valeureux », mais bon…

— Malheureusement, continua-t-il, afin que l'événement ait lieu, nous en aurions besoin de cinq. Voilà pourquoi je me présente devant vous aujourd'hui et vous implore de participer. Je vous assure que ces olympiades constitueront un souvenir impérissable de votre passage à l'école. Y a-t-il d'autres courageux dans la salle ?

— NOUS ! tonitrua une voix près de moi.

— Qui a parlé ? demanda monsieur Lachance, retrouvant aussitôt le sourire.

Une main se leva parmi l'assistance. Celle de Xavier Lapalme-Dor.

Qui d'autre…

Les applaudissements féminins (oui, oui, je sais les différencier !) se déchaînèrent. Au moment où il posa le bout de sa chaussure sur la scène, c'était l'ovation. Pire que One Direction au Centre Bell… À sa suite, Laflamme-Hotte montrait ses puissants biceps et Joe Blier prenait la pose d'un culturiste badigeonné d'huile. Cependant, les deux derniers membres de leur équipe ne cadraient pas tellement avec le reste du portrait: Francis Lebœuf-Haché et Émilie Nelligan, le genre de fille qui portait des lunettes sans en avoir besoin, question d'avoir l'air plus intellectuelle.

— Pssssssit! m'interpella Charles. Leur équipe est un peu étrange, tu trouves pas?

— Disons que Francis et Émilie auraient pas été mes premiers choix, acquiesçai-je. Mais ça change rien: ils sont sûrs de gagner avec les trois autres.

Sur scène, notre directeur semblait ravi:

— Il ne nous manque plus qu'une équipe et cet événement mémorable aura bel et bien lieu. Qui se propose?

Le chahut retomba. Chacun cherchait dans le regard de l'autre le courage qu'il ne possédait pas. Proposer son voisin, d'accord, mais au risque de se faire nommer ensuite? Non merci.

Mieux valait passer son tour. Andréanne me fit une fois de plus ses yeux de Chat potté.

Pas bon.

Ce n'était pas bon du tout.

Je cherchai un appui du côté de Jo, mais je vis tout de suite qu'il voulait participer lui aussi, probablement pour s'assurer une place dans le voyage en France. Dernière ressource : Macchabée-Simard. Peine perdue. Il faisait «oui» de la tête frénétiquement, croyant sûrement qu'une victoire contre ses intimidateurs serait une douce vengeance. Cerné de toutes parts, je me sentais comme les yeux de Jean-Luc Mongrain.

– Vous êtes pas sérieux, gang…

– C'est rare que je t'impose quoi que ce soit, me glissa Andréanne à l'oreille, mais j'aimerais que tu le fasses pour moi. S'il te plaît. On va s'amuser, tu vas voir. Et inquiète-toi pas de ce que les gens vont penser : quand t'as du plaisir, le jugement des autres importe peu. Tu vaux plus que quelques commentaires méchants, non ?

J'étais sur le point de craquer et de lui donner raison. J'avais envie de lui faire plaisir, c'est sûr. Et elle n'avait pas tort. Si, même dans la défaite, j'apprenais à ne plus me soucier du jugement d'autrui une bonne fois pour toutes, ce serait une victoire en soi.

— OK, mais on est juste quatre, ça fait pas une équipe complète.

— Si vous voulez, je peux me joindre à vous, fit une voix derrière nous.

Qui osait détruire ma dernière chance de m'en sauver ? Je me retournai et vis… Alexandre Lebeau-Dubois, mon ex-rival. Je dis bien « ex », car j'avais fini par comprendre qu'il s'agissait d'un bon gars, vraiment. Toute ma jalousie avait disparu à l'égard de cet ami d'enfance d'Andréanne. Mais là, il travaillait fort pour revenir sur ma liste noire !

— Alors, qu'est-ce que t'en dis ? s'enquit mon amour.

Je cédai tel un barrage fissuré de bord en bord.

— D'accord…

– Hourra! s'exclama Jo.

À l'avant, monsieur Lachance mit sa main en cornet autour de son oreille:

– Qu'ai-je entendu, au fond? Avons-nous notre cinquième équipe?

– OUI! s'écria Andréanne.

Les applaudissements reprirent de plus belle. Instinctivement, les élèves formèrent une haie d'honneur pour qu'on accède à la scène.

– Maintenant, je vais vous présenter les épreuves que devront accomplir nos courageux participants, annonça notre directeur d'un ton solennel. Il y a cinq catégories et chacun des membres de votre équipe devra en choisir une seule. De plus, il y aura une épreuve finale à laquelle tous les coéquipiers des trois meilleures formations devront participer: une course à relais à travers la ville. Pour ce qui est des disciplines en tant que telles, il y aura d'abord le plongeon olympique ainsi que le cent mètres brasse.

Andréanne avait des étoiles dans les yeux. Moi aussi, mais parce que j'étais sur le point de perdre connaissance. Il avait bien dit «cent», comme dans un suivi de deux zéros? C'est avec joie que je cédai cette première catégorie à mon amoureuse.

– Pour les plus rapides d'entre vous, il y aura le cent mètres haies.

Le nombre cent était récurrent, ma foi! Jo nous signifia qu'il souhaitait avoir cette discipline. Pas de problème pour moi!

– Ceux qui préfèrent l'altitude, ne manquez pas les sauts en longueur, en hauteur et à la perche.

– Je m'en occupe! déclara Charles.

– Nous aurons également droit aux lancers du poids, du disque et du javelot.

Alex m'interrogea du regard, pour savoir si cette discipline m'intéressait. Je haussai les épaules. Peu importe ce que je choisirais, j'allais perdre, alors je la lui laissai. Il hocha la tête en signe de confirmation.

– La dernière catégorie et non la moindre…

Voilà, le sort en était jeté. C'était celle que j'allais devoir remporter. Je croisai les doigts pour que ce soit quelque chose de facile, genre du ping-pong.

– … la lutte gréco-romaine!

DEUXIÈME PARTIE
PRÊTS?

(PAS VRAIMENT...)

I

15 mai

Les Surprenants, c'était le nom d'équipe qu'on avait choisi. Assez ordinaire, je sais. On avait tiré à la courte paille et l'idée d'Alex l'avait remporté. De toute façon, les autres étaient pires : les Vingt Cœurs (Andréanne), les Kung Fous (Jo) et les Cinq Cavaliers de l'Apocalypse (Charles). J'avais décidé de ne pas participer, parce que mes idées renfermaient toutes un des mots suivants (ou leurs synonymes) : «perdants», «bons à rien», «incompétents», «incapables», etc. Pas super joyeux.

Nous étions maintenant à la mi-mai et les dernières semaines s'étaient résumées ainsi : entraînement et vente de chocolat. Certains semblaient mélanger les deux, puisqu'ils s'exerçaient à s'empiffrer. Surtout Lebœuf-Haché, qui ressemblait de plus en plus à un ballon gonflé à l'hélium.

Pendant ce temps, notre enquête n'avait pas avancé d'un pouce, même si on avait tous mis la main à la pâte. On n'avait toujours pas trouvé où la bande de sportifs cachait les preuves de la cyberintimidation, malgré un espionnage intensif. Il nous restait un seul recours pour venger Charles : remporter les olympiades pour leur subtiliser le trophée tant convoité. Bonne chance…

À la fin des cours, Andréanne vint me rejoindre à ma case :

— Tu vas t'entraîner, P.-A. ? me demanda-t-elle.

— Non, pas vraiment.

J'allais perdre, alors à quoi bon ?

— Minimalement, faudrait que tu connaisses les règles de la lutte gréco-romaine, me réprimanda-t-elle.

— J'ai le temps en masse…

— Les olympiades commencent demain !

— C'est ce que je dis…

Moins j'en savais, mieux je me portais. Je n'avais pas envie de stresser dès maintenant à propos de ma future défaite.

— Tu peux toujours changer de catégorie, me suggéra mon amour, il est pas trop tard.

Bah ! Aussi bien que ce soit celle-là. Je secouai la tête négativement, en guise de réponse.

— En tout cas, renchérit Andréanne, moi, je vais m'entraîner ce soir.

— Encore ! Ça fait deux semaines que tu y vas tous les jours.

— Justement, c'est pas le moment de lâcher. Je veux être prête à 100 %. *Come on !* Viens faire des exercices avec moi !

Chaque fois qu'elle prononçait ce mot, j'entendais « exorciste ». Et j'imaginais une petite fille tournant la tête à trois cent soixante degrés, tout en parlant avec une voix de démon.

— Je peux y aller avec toi, si tu veux, proposa Macchabée-Simard à ma place.

– Merci, Charles, t'es gentil, répondit-elle. Mais j'aimerais passer un peu de temps avec P.-A., on s'est pas vus beaucoup ces dernières semaines.

Ah! Voilà qui était plus convaincant. Il est vrai que Charles ne nous lâchait pas d'une semelle depuis qu'il faisait partie de notre gang. Il était devenu difficile d'avoir un moment à nous deux. Et passer un peu de temps avec Andréanne pourrait me faire le plus grand bien!

Dans le vestiaire de la piscine, je jetai de nombreux regards derrière mon épaule. Chaque fois que je venais ici, de désagréables flash-back me revenaient. À tout moment, j'avais l'impression que quelqu'un allait surgir de nulle part, serviette mouillée à la main, et se prendre pour un pharaon voulant forcer un esclave à bâtir sa pyramide. Je m'enfermai dans une cabine et, pour mettre mon maillot de bain, j'eus recours à ma bonne vieille technique : l'enfiler en premier par-dessus mes boxers, entourer ensuite ma serviette autour de ma taille, puis retirer mon sous-vêtement en testant dangereusement son élasticité. Pas très simple, mais vraiment plus prudent. On ne sait jamais quand un téléphone intelligent peut apparaître pour prendre des photos compromettantes, lesquelles font le tour de l'école en cinq secondes. Hum… Peut-être que c'était *ça* que Charles avait subi ?

Je mis mon casque de bain, passant de coupe champignon à tête d'œuf, et poussai la porte de la piscine.

— T'as gardé tes lunettes !? se surprit Andréanne. Pourquoi ?

À l'école, les filles se baignaient obligatoirement avec des une-pièce. Pas aussi sexy qu'un bikini, mais plus prudent lors des plongeons (j'en connaissais un bout sur les risques associés à ce type de manœuvre…). Malgré tout, Andréanne était à couper le souffle dans son maillot rouge. Dire que, si j'avais retiré mes fonds de bouteille, je n'aurais jamais vu cette Beauté-espérée, mais plutôt une Grosse-tache-colorée !

— Ben…, baragouinai-je, c'est que…

Je rougis jusqu'à la racine des cheveux, faisant concurrence à son maillot. C'est alors qu'elle comprit. En guise de réaction, elle afficha un air semi-scandalisé pour ensuite éclater d'un rire merveilleux.

– T'es *twit*, me gronda-t-elle affectueusement.

J'entendis un splash. Me retournant, je vis Émilie Nelligan sortir de l'eau. Comme au ralenti. Avec un déhanchement digne d'une Bond girl (bon, OK, oublie le déhanchement, il s'agit d'une échelle de piscine, pas d'une plage de sable…). Andréanne me donna un coup de coude.

– D'accord pour les lunettes, mais arrange-toi pas pour que je sois jalouse !

– Aucun danger ! la rassurai-je.

Émilie était jolie, effectivement. Mais ma chérie n'avait pas à s'en faire : sur cette planète, aucune autre fille n'avait autant d'intérêt qu'elle à mes yeux.

– Je vais aller plonger, décida-t-elle.

Pour l'observer, je me postai à côté de la chaise du sauveteur. Le nouveau collègue de Monsieur Net, désormais surnommé RoboBob, y était juché. L'eau semblait le répugner, comme s'il craignait qu'elle n'endommage ses composants cyborgs.

Andréanne effectua quelques plongeons. Chaque fois, j'aurais aimé avoir sous la main une pancarte indiquant 10/10 en néons scintillants. Puis, elle s'exerça au cent mètres brasse et je la chronométrai : 2 min 15 s, 2 min 7 s et 1 min 59 s. Elle était prête, pas de doute là-dessus. Avant de rentrer au dortoir, elle suggéra qu'on passe un peu de temps dans le « pas creux » (*oh yes !* mon endroit préféré de la piscine). Pour la rejoindre, je déposai mes lunettes sur ma serviette. Je descendis sur la première marche de l'échelle et trempai mon gros orteil dans l'eau. Ahhhhhhh ! C'était FROID !

– Saute d'un seul coup, me suggéra Andréanne, tu vas voir, c'est mieux.

Pas dans mes intentions, merci. Dans une piscine, j'étais aussi gracieux que le *Titanic* rencontrant un iceberg. Je descendis une marche de plus. Iiiiiiiiiiih ! De pire en pire. J'optai alors pour un truc de ma mère : prendre un peu d'eau dans ma main pour me mouiller la nuque. Ooooohhhh ! J'étais maintenant recouvert de chair de vélociraptor (c'était trop violent pour être de la chair de poule…).

PLOUF !

N'en pouvant plus de ma pleutrerie, Andréanne m'avait tiré par le bras pour me jeter à l'eau. Je me débattis un instant… avant de me rendre compte que mes pieds touchaient le fond. Bravo, P.-A. Mon amoureuse me sauta dans les bras, hilare. Dans l'eau, elle était super légère. Elle mit ses jambes autour de ma taille et on resta ainsi un instant, son visage à un centimètre du mien. C'était plutôt rare qu'on ait de tels moments d'intimité. On n'était pas du genre à s'adosser aux cases pour s'embrasser exagérément en public.

— Pourquoi est-ce que tu m'aimes ? finit-elle par me demander.

— Parce que, répondis-je en la serrant davantage.

— C'est pas une réponse…

Pris au dépourvu, j'hésitais entre énumérer toutes ses qualités (et être encore là le lendemain, ratatiné tel un raisin sec californien) ou lui dire simplement : « Parce que t'es la plus belle. » Ce qui aurait été réducteur, son intelligence étant aussi séduisante que sa beauté extérieure.

– Pourquoi tu me poses cette question ? l'interrogeai-je à mon tour, faute de mieux.

– Tu me le dis jamais…

– C'est pas vrai ! Je te le répète tout le temps.

Elle fit une moue sceptique.

– Et si je le prononce pas à voix haute, ça m'empêche pas de le penser ! ajoutai-je.

Son rire cristallin résonna à nouveau dans la salle, véritable musique à mes oreilles.

– Je sais bien… Je te taquine. En tout cas, conclut-elle, merci de participer aux olympiades. Je suis consciente que tu as accepté en partie pour moi. Ça me fait vraiment plaisir.

– De rien.

Elle m'embrassa. C'était le paradis. Même l'horrible odeur de chlore avait soudainement disparu. Étions-nous seuls sur une île déserte? Je crois bien que oui. Hum… Ce n'était pas seulement une illusion: il n'y avait plus personne dans la piscine. À l'exception de RoboBob, en haut de sa tour d'observation, avec ses composants cérébraux sur le point de tomber en mode veille.

— Avant de partir, on fait un concours? proposa Andréanne.

— OK! C'est quoi?

— Celui qui reste le plus longtemps sous l'eau!

Yé! Le seul défi sous-marin à ma portée! OK. Pari relevé! Je me bouchai le nez et pris une grande inspiration.

— *Go!*

On plongea tous les deux, en se tenant la main.

Un hippopotame, deux hippopotames, trois hippopotames (désolé pour l'apparition impromptue de ces animaux dans mon histoire, mais, que voulez-vous, c'est le truc qu'on m'a donné au primaire pour compter les secondes au bon rythme).

J'ouvris les yeux pour observer mon amour. Même si je la voyais tout embrouillée, je trouvais qu'elle avait l'air d'une véritable sirène avec ses cheveux flottant dans l'eau.

Vingt-huit hippopotames, vingt-neuf hippopotames, trente hippopotames...

Je manquais d'air. Je n'allais plus tenir très longtemps. J'avais envie de tricher en embrassant Andréanne, question qu'elle me refile un peu d'oxygène.

Quarante hippopotames, quarante et un hippopotames, quarante-deux hippopotames...

Je n'en pouvais plus de compter ces gros mammifères amphibiens. Je remontai à la surface et pris une grande goulée d'air. Reprenant mon souffle, je remarquai la présence d'un élève à quelques mètres de moi. Mais... il faisait un graffiti sur un mur du centre sportif !?!

Qui était-ce? Qu'écrivait-il? Zut! Tout était flou. J'entendais le bruit de la bombe à peinture, mais je ne parvenais pas à déchiffrer les mots que formaient les taches noires.

Vite! Mes lunettes!

Entre deux mouvements de crawl, je tentai d'apercevoir RoboBob. Sans succès. Où était-il passé?

— Hé! hurlai-je en direction de l'inconnu.

Celui-ci se tourna vers moi. Son visage? Une tache beige non identifiable. Beau portrait-robot en vue… Il termina son dessin à la hâte. Atteignant enfin mes lunettes, je les enfilai. Le vandale fuyait, vêtu d'un chandail à capuchon qui cachait toute sa tête. Je le vis s'engouffrer dans le vestiaire et RoboBob apparut à ce moment-là pour constater les dégâts. Je pointai un doigt en direction du vestiaire et il s'élança à la suite du malfaiteur. Andréanne émergea alors, fière du temps qu'avait duré son apnée. Tout de suite, elle remarqua l'étrange graffiti:

— Que s'est-il passé?

Le contenu du message ne m'était pas du tout étranger. Je me pris même à penser qu'il m'était peut-être destiné personnellement.

Compagnons obscurs, suivez-moi dans la noirceur.

Et le tout se terminait avec un barbouillis représentant une rose noire.

Qu'est-ce que le symbole préféré de la mère de Charles venait faire là-dedans? Et cette phrase… la même que sur le fond d'écran de son ordinateur.

Pour être franc, j'étais dans le brouillard total.

EXERCICES POUR MYOPE

Comme on ne sait jamais lorsqu'on devra se tirer du pétrin, il est important de commencer tout de suite notre entraînement!

SQUAT AVEC HALTÈRES

(pour ces jours où le poids du monde semble reposer sur nos épaules)

PUSH-UP DES PAUPIÈRES

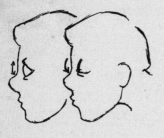

(afin de voir le plus loin possible)

RENFORCEMENT DES DELTOÏDES-FESSIERS

(au cas où quelqu'un collerait dans notre dos la célèbre feuille « Frappez ici! »)

TORSIONS LOMBAIRES

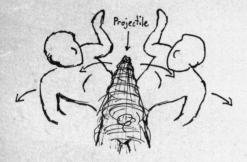

(afin d'échapper, comme dans *La matrice*, aux projectiles indésirables)

COURSE À PIED

(pour améliorer sa vitesse, la fuite demeurant parfois la seule option...)

FLEXIONS RAPIDES DES POUCES

(idéal pour améliorer les performances à la calculatrice ET pouvoir texter « À l'aide » plus vite que son ombre...)

II

— Chers élèves, bienvenue à cette nouvelle édition des olympiades scolaires!

L'annonce tonitruante fut accueillie chaudement. Pour l'occasion, l'animation avait été confiée à Marc-Luc Favreau-Durand, le clown de l'école. Il avait à sa disposition des haut-parleurs crachant des tonnes de décibels et commentait les événements devant une foule réunie sur le terrain de football de l'école.

— Non mais, quelle belle journée ensoleillée! s'exclama-t-il au micro. Ça s'annonce bien pour la suite, n'est-ce pas, Simon?

— Effectivement, Marc, effectivement.

Dans le rôle de son coanimateur et faire-valoir, on lui avait adjoint Simon Lepitre-Rathé. Un gars qui aurait voulu devenir humoriste, mais qui était aussi drôle qu'un mime faisant semblant d'être derrière un mur imaginaire. La seule occasion où il avait réussi à faire rire, c'était lorsqu'il avait donné une feuille au prof de maths pour demander la permission d'aller aux toilettes. Sur le bout de papier, il avait inscrit deux fois le symbole pi (π - π).

— Très chers spectateurs, vous allez assister dans quelques instants à la dernière portion du relais de la flamme olympique.

— Notre école a tenu à imiter cette tradition antique réintroduite en 1928 à Amsterdam. Elle a pour but d'honorer la déesse Héra.

— Exactement, Simon. On peut voir que t'es allé faire un p'tit tour sur Wikipédia...

Quelques spectateurs gloussèrent. Lepitre-Rathé continua, fier de s'être bien préparé pour cette cérémonie d'ouverture :

— Les enseignants ont parcouru la ville avec la flamme afin d'annoncer la bonne nouvelle et d'inviter les citoyens à assister aux olympiades.

— Un grand merci à vous, les profs. Ah! D'ailleurs, les voici !

— Mesdames et messieurs, vous pouvez maintenant apercevoir monsieur Cérosse qui fait son entrée!

Le nez de notre prof de maths se pointa au bout du terrain de football. Son organe olfactif frôlait dangereusement la flamme qu'il tenait à bout de bras.

— Le flambeau vient d'être passé à monsieur Brasseur!

Notre prof d'éducation physique parcourut quelques mètres avec la torche. De mémoire d'élève, c'était la première fois qu'on le voyait accomplir une quelconque activité sportive, lui qui aimait beaucoup nous montrer quoi faire (mais jamais l'effectuer lui-même…). Monsieur Brasseur tendit l'objet symbolique à notre directeur et il leva les bras dans les airs en signe de victoire, nous rappelant au passage pourquoi on le surnommait «Bras-Sueurs». Beurk. Pire que les Grands Lacs…

— Monsieur Lachance va maintenant permettre à la flamme de se consumer tout au long des épreuves.

Notre directeur pointa la torche vers notre propre réplique de la vasque olympique – genre de gros chaudron – et le feu s'y propagea.

– Marc, savais-tu qu'en 1976, pendant les Olympiques de Montréal, le véritable flambeau s'est éteint en raison d'un violent orage?

Monsieur Lachance fit un geste de la main afin d'obtenir le silence dans la foule.

– Chers élèves, proclama-t-il d'une voix solennelle, les Jeux sont ouverts!!

Des applaudissements retentirent.

– Une très belle cérémonie, n'est-ce pas, Simon?

– Je suis d'accord avec toi, Marc. Je pourrais pas dire mieux.

– Et maintenant, annonça Favreau-Durand, place à la première épreuve… les lancers!

Andréanne fit un câlin à Alex pour lui transmettre le courage nécessaire et elle s'exclama:

– Cri de ralliement!

Toute notre bande se plaça en cercle, chacun un bras tendu au centre.

– Les…, commença Andréanne.

– … Surprenants! compléta-t-on en levant d'un même geste nos bras dans les airs.

Ringard, mais amusant à la fois. Je devais admettre que le sentiment d'appartenance à notre équipe était très agréable.

– Souhaitez-moi bonne chance! lança Alex avant de se déplacer pour rejoindre ses adversaires sur le terrain de baseball de l'école, là où se déroulaient les premières épreuves.

On essaya de se trouver la meilleure place possible dans l'estrade.

– Nous allons débuter avec le lancer du poids, n'est-ce pas, Simon? commenta l'animateur.

– C'est exact, Marc.

De l'équipe des Effroyables Gladiateurs, Harry Labine-Allard s'avança le premier. Notre prof d'éducation physique lui remit le poids, lequel pesait quatre kilos. Quand il le reçut, ses bras faillirent s'allonger jusqu'au sol, entraînés par sa pesanteur.

— Ils auront droit à deux chances seulement, nota Favreau-Durand à l'intention des spectateurs.

— Oui, Marc. Dans le cadre d'olympiades normales, ils pourraient effectuer jusqu'à six lancers mais, comme ils lanceront aussi le javelot et le disque, seulement deux essais par discipline sont accordés.

— On voudrait pas que la journée leur coûte un bras…

Harry, l'air débiné, ne savait que faire avec la boule de métal. Visiblement, il était plus à l'aise avec les petits pois. Monsieur Lachance lâcha un coup de sifflet et le jeune sportif dut s'élancer. Propulsé vers le ciel, l'objet partit en hauteur. À la verticale. Tellement qu'il faillit revenir exactement à son point de départ. Les mains sur la tête pour se protéger, Harry s'éloigna à toute vitesse.

— 0,1 mètre, rapporta Favreau-Durand. Un départ plutôt modeste…

Ensuite, Joe Blier se présenta pour son équipe, les Dieux de l'Olympe. Rien de moins. Mais il fallait rendre à César ce qui lui appartenait : il s'y connaissait en lancer du poids. Il avait la position parfaite, la boule appuyée sur son cou. À reculons, il se donna un élan pour faire un bond, prit appui sur le butoir délimitant l'espace réglementaire, poussa sur ses jambes et...

— Bonsoooooir, il est parti ! firent Marc et Simon en chœur.

En atterrissant dans le sable du terrain de baseball, le poids fit un bruit mat.

— 11,09 mètres, chers spectateurs !

La foule tapa des mains avec frénésie.

— Et c'est maintenant le tour d'Alexandre Lebeau-Dubois, commenta Favreau-Durand. Voyons voir s'il sera aussi surprenant qu'il l'annonce.

Alex avait bien observé son adversaire et il imita sa position pour donner le plus de vitesse à la boule. Celle-ci s'éloigna dans les airs. Oh ! Ça augurait bien !

— 7,97 mètres, décréta le commentateur.

Pas si mal! Ensuite, ce fut le tour d'un membre de la famille Faucher, Pierre, lequel força du nez plus que d'autre chose. («On dirait qu'il n'est pas allé au p'tit coin depuis plusieurs jours…», analysa Favreau-Durand avec élégance.) Et du Parfait Champion, Ian Savoie-Malle. À voir l'épaisseur de sa paire de lunettes, c'était peut-être le seul élève pouvant se vanter d'être aussi myope que moi. Ils firent respectivement 7,15 mètres et 5,08 mètres.

Durant le deuxième essai, Harry Labine-Allard, qui avait enfin compris comment ça fonctionnait, donna tout ce qu'il put. Résultat: 1,26 mètre. Joe Blier se représenta dans le cercle, les muscles tendus. Il fit encore mieux que la fois précédente!

— 11,74 mètres!

À son tour, Alex s'élança.

— 10,16 mètres!

Les autres participants réussirent aussi à améliorer leurs lancers, mais pas suffisamment pour changer les positions. Nous étions donc en deuxième place. Excellent! Au lancer du javelot,

Joe Blier passa en premier. Il prit le long bâton de deux mètres dans sa main droite.

— Si je ne me trompe pas, il s'agit d'une prise finlandaise, informa Lepitre-Rathé, devenu une encyclopédie sur deux pattes.

Le Dieu de l'Olympe se mit à courir, le javelot à la tempe et le bras derrière la tête. Il se plaça de profil au cours de son élan, fit quelques pas croisés en fin de parcours et catapulta son projectile.

— OUAH! 28,04 mètres! Quel bras, mes amis, quel bras! s'exclama Simon, qui avait, de toute évidence, un parti pris.

Alex atteignit quant à lui 27,28 mètres. Il talonnait notre principal adversaire, qui fit moins bien à son deuxième essai.

— Oh! Est-ce que ce Dieu grec peut se fatiguer comme le commun des mortels? ironisa Favreau-Durand.

Pour sa seconde tentative, Alex prit un élan monumental, maîtrisant à la perfection les petits pas croisés avant la propulsion.

– 29,6 mètres! Incroyable! Les Surprenants nous surprennent vraiment et prennent les devants dans cette discipline!

Folle de joie, Andréanne me sauta dans les bras et me couvrit de baisers. Décidément, ces olympiades me plaisaient de plus en plus! Charles, lui, semblait perdu dans ses pensées depuis le début des épreuves et cette victoire n'y changea rien. Je compris pourquoi lorsqu'il me demanda:

– Et si on trouvait une façon de mettre Lapalme-Dor et sa bande sous écoute, comme dans les enquêtes policières? On amasserait sûrement des preuves!

Mon attention fut détournée par le premier lancer du disque. Pierre Faucher s'était exercé, car il fit l'enchaînement dans les règles de l'art: deux torsions du corps pour entreprendre son élan, le pivot et la volte, ce tour complet dans le sens des aiguilles d'une montre qui sert à propulser l'objet.

– 20,21 mètres! s'extasia Lepitre-Rathé. La compétition risque d'être féroce une fois de plus!

Tirant avantage de la clameur, je parlai à Jo de l'idée de Charles. Alex lança son disque pendant que notre expert en informatique réfléchissait à la question.

– 34,93 mètres !

Joe Blier s'avança, moins confiant qu'au début. Lors de son élan, un miracle se produisit et il perdit pied.

– Le lancer ne vaut rien, car le disque est tombé à l'extérieur de l'angle réglementaire de quarante degrés, expliqua Lepitre-Rathé.

– Celsius ou Fahrenheit ? l'interrogea Favreau-Durand. Une chose est sûre : ça commence à chauffer entre les Dieux de l'Olympe et les Surprenants.

Je n'en revenais pas : la première marche du podium était à notre portée !

– Avec des lancers de 19,22 mètres pour Labine-Allard et de 5,12 mètres pour Savoie-Malle, Alexandre a des chances de remporter la troisième discipline de cet avant-midi, annonça Favreau-Durand.

– C'est maintenant le deuxième et dernier tour pour cette catégorie.

Pierre Faucher reprit son élan et fit moins bien que le premier coup. Jo saisit l'occasion pour me confier :

– Je suggère de mettre sous surveillance la seule chose qui soit intelligente chez Lapalme-Dor.

– C'est-à-dire ?

– Son téléphone.

Pendant ce temps, Lepitre-Rathé continuait d'annoncer les distances couvertes :

– 35,07 mètres !

Zut ! Je venais de manquer le lancer d'Alex.

– Et comment on fait ça, mettre un cell sur écoute ? demandai-je.

– Fie-toi à Jo, dit Charles, c'est lui, le pro.

– Et bien entendu, j'imagine que ce sera pas du tout une opération risquée…, commentai-je avec ironie.

Pour son dernier tour de piste, Joe Blier semblait bien déterminé à ne pas reproduire son erreur précédente. Notre équipe se mit à le huer, question de le déconcentrer un peu. Avec la grâce d'une ballerine, il fit son pivot et sa volte, envoyant le disque loin... très...   loin.

– Quarante-six virgule vingt-quatre mètres! Mesdames et messieurs, je crois que nous avons un vainqueur!

Euphorique, le reste de l'équipe des apollons descendit de l'estrade pour le porter à bout de bras dans les airs, scandant: «Les Dieux! Les Dieux!» La foule leur emboîta le pas. De notre côté, il nous aurait été difficile d'afficher une mine piteuse, puisqu'on terminait tout de même en deuxième position. Bien mieux que ce à quoi je m'attendais!

Cinq points étant attribués pour une première place, quatre points pour une deuxième et ainsi de suite, les résultats de l'avant-midi furent les suivants:

Les Dieux de l'Olympe	14 points
Les Surprenants	13 points
Les Lions indomptables	9 points
Les Parfaits Champions	6 points
Les Effroyables Gladiateurs	3 points

– Alors, qu'en dis-tu, pour notre plan? se renseigna Charles.

– Ai-je vraiment le choix?

PLAN DE LA CAFÉTÉRIA

Attention! Même à l'école, il existe une chaîne alimentaire. Et elle est particulièrement riche en carnivores. Pour y survivre, tu dois choisir la bonne table à la café!

TABLE DES SPORTIFS

(nettoyée avec un produit spécial qui repousse toute forme de graisse)

TABLE DES COOL

(située près de l'air conditionné)

TABLE DES REJETS

(tout le monde y est invité!)

← Place de Mathieu Aucoin

TABLE DES FANS DE HEAVY METAL

(fourchettes en plastique interdites)

TABLE DES GOTHIQUES,
aussi connus sous le nom de << tueurs
de vampires>> (Bella et Edward n'y
sont pas les bienvenus...)

TABLE DE
LA SOCIÉTÉ
DES POÈTES
DISPARUS

(cette table est
toujours vide, je
me demande bien
pourquoi)

TABLE DES
INCONNUS

(même ceux qui
s'y assoient ne se
connaissent pas
entre eux!)

TABLE DE CEUX QUI ONT DU *SWAG*

(table qui devra changer de nom dans cinq ans,
lorsque tout le monde aura oublié ce nouveau
terme à la mode...)

III

– Bravo, Alex, t'as été formidable! s'exclama un élève de troisième secondaire.

Une demi-heure plus tard, on faisait la file pour la cafétéria et des élèves félicitaient Alex toutes les trois secondes.

– Arrêtez, les gars, répétait-il humblement.

– T'imagines! s'exclama Jo. On est en deuxième position!

– Tous les espoirs sont permis! s'emballa Andréanne.

Contre toute attente, je partageais leur enthousiasme. Rien ne pouvait nous faire descendre de notre nuage. Pas même le menu de la cafétéria. Pour l'occasion, on nous avait concocté un repas pour athlètes: un pain pita (dont la fermeté en faisait le Frisbee idéal), des légumes vapeur (aussi ratatinés qu'un vieux monsieur sortant d'un sauna), du lait 2% (probablement la note qu'il obtiendrait à un contrôle de sa qualité) et un poisson blanc quelconque, difficilement identifiable (à vue de nez, il semblait provenir de l'étal d'Ordralfa-bétix, le poissonnier du village d'Astérix...).

Malgré sa nouvelle popularité, toute notre gang prit place à notre table assignée, celle des rejets. Par habitude. Et aussi parce qu'on se voyait mal arriver à la table des sportifs en disant: «Hé, les gars! Est-ce que ça vous tente de partager un *shake* protéiné?»

Charles nous rejoignit une dizaine de minutes plus tard, arrivant d'on ne savait où.

— Hé! Devinez quoi? nous demanda-t-il avec énervement. Xavier Lapalme-Dor vient de changer de catégorie et il va compétitionner cet après-midi dans l'épreuve de natation.

— Quoi? se scandalisa Jo. Ils peuvent pas faire ça!

— Les Dieux de l'Olympe doivent commencer à sentir la soupe chaude, analysa Alex, levant le nez de son assiette. Ils ont décidé de revoir leur stratégie, car ils veulent surtout pas qu'Andréanne l'emporte, ce qui nous placerait en première position.

– C'est de la tricherie! m'offusquai-je.

– Aucun règlement ne mentionnait que c'était interdit, précisa Andréanne. Et puis… c'est peut-être bon pour nous. Xavier est le meilleur de son équipe, c'est vrai, mais je suis quand même sûre de pouvoir le battre à la nage.

J'aurais aimé partager son assurance.

– D'ailleurs, P.-A., toi aussi, tu peux encore changer de catégorie, ajouta mon amoureuse.

– On en a déjà discuté, laisse tomber.

Mon idée était faite: si on devait sacrifier une partie de nos points en raison de mes talents sportifs, aussi bien que ce soit avec la lutte gréco-romaine, l'épreuve qu'aucun d'entre nous ne pouvait remporter.

– Mais tu sais que tu risques d'affronter…

– Chut! l'interrompis-je. Je veux pas en entendre parler davantage.

Charles prit alors un air sérieux.

— Ce sera le meilleur moment pour passer à l'acte, les gars !

— Passer à l'acte ? répéta Andréanne, qui n'avait pas encore été mise au courant de notre plan. Qu'est-ce que vous planifiez encore ?

Profitant du vacarme ambiant, notre nouvel ami lui chuchota notre idée.

— Bien que ce soit interdit dans le règlement de l'école, Xavier traîne toujours son cell avec lui, poursuivit-il. Par contre, pour l'épreuve, il aura pas le choix de le laisser avec ses effets personnels ! À moins qu'il veuille plonger avec.

— Génial… Un autre cadenas à déjouer…, soupirai-je, désabusé.

Même si l'école possédait une piscine dite olympique, celle-ci n'avait pas été conçue pour accueillir la foule importante réunie par ce type d'événement. En effet, essayer d'y entasser tous les élèves s'avérait plutôt dangereux. Certains observaient la compétition à partir du deuxième étage, derrière les baies vitrées, mais la plupart voulaient être aux premières loges, autour du bassin. Si les gens commençaient à se bousculer, quelques-uns allaient finir par plonger la tête la première et boire un sacré bouillon.

— Restons au fond, près de la porte, nous conseilla Charles.

On suivit sa directive, attendant de connaître son plan plus en détail. Je ne fus pas surpris de remarquer que le graffiti sur le mur de la piscine avait disparu, probablement effacé par RoboBob et ses bras bioniques. Comme si le barbouillis n'avait jamais existé. Ou, plutôt, comme s'il avait été réalisé juste pour moi...

— Bienvenue à cette deuxième ronde, s'égosilla Lepitre-Rathé dans son micro, le cent mètres brasse et le plongeon olympique!

— Des épreuves parfaites pour nous mettre l'eau à la bouche, n'est-ce pas, Simon?

— Oui, Marc. Et nous voilà devant tout un revirement de situation: Xavier Lapalme-Dor, surtout reconnu pour ses talents en course, vient de changer de catégorie.

— Cette décision soudaine vise probablement à empêcher l'équipe d'Andréanne Carrière-Desroches de prendre la tête du peloton…

— Espérons pour lui que ce ne sera pas un coup d'épée dans l'eau.

— Le voilà qui fait son entrée !

À la vue de Lapalme-Dor en Speedo, les filles se mirent à crier. Avec la réverbération du son dans la pièce, mes tympans ne risquaient pas de survivre à ces ultrasons puissants.

— À toi de jouer, Jo ! décréta Charles à travers le brouhaha. Montre-nous ce dont t'es capable !

— Quoi ? s'inquiéta mon ami. J'y vais tout seul !?

— Oui, c'est trop risqué pour moi, vous le savez, nous rappela Macchabée-Simard. Si mes intimidateurs voient que j'ai disparu, ils vont tout de suite se douter de quelque chose.

L'expert en informatique se tourna vers moi, son dernier espoir.

— Désolé, Jo. Je veux pas rater le plongeon d'Andréanne. Demande à Alex !

– Il est perdu au beau milieu de la foule, se plaignit mon ami.

– P.-A., si tu te dépêches, m'encouragea Charles, tu manqueras rien du tout.

– On peut même pas accéder au vestiaire, arguai-je, il y a des élèves tout le tour de la piscine !

– Vous vous souvenez de la fois où j'ai disparu dans le couloir pendant que la bande de Lapalme-Dor me courait après ?

On acquiesça.

– C'est le moment de vous révéler mon secret…

Il me tendit une feuille mobile toute froissée et une petite lampe de poche.

– Je vous ai préparé ça.

Avant que j'aie le temps d'y jeter un coup d'œil, il nous poussa vers la porte qui donnait sur le couloir.

– Mais…, protestai-je.

— Grouillez-vous! siffla Charles entre ses dents.

Personne ne semblait avoir remarqué notre départ de la piscine; tous les regards étaient rivés sur la compétition. Je défroissai la feuille que Charles m'avait donnée.

— On dirait un plan.

Digne du talent d'un enfant de première année du primaire, le dessin représentait l'école.

— Je comprends rien à rien! se lamenta Jo. Retournons à la piscine voir la compé…

— Attends, l'interrompis-je. Regarde! Il y a un «x» sur sa carte et…

Tandis que mon ami continuait de se plaindre, je m'approchai de ce qui avait l'air d'une plaque de métal près du sol, sur le mur du couloir.

— Dans le bas de la feuille, c'est écrit…

J'exécutai les consignes et tirai sur une espèce de manivelle métallique, laquelle semblait vouloir passer inaperçue sur le côté du panneau. Celui-ci s'entrouvrit dans un long grincement pour laisser place à l'ouverture d'un tunnel, haute de moins d'un mètre.

– Malade!! s'étonna Jo.

Sur la feuille, c'était écrit «voir verso». Un second plan de l'école s'y trouvait, mais différent: uniquement constitué de tunnels souterrains.

– On dirait un passage secret!

Sans hésitation, je m'y engouffrai à quatre pattes. Incroyable! Voilà comment Charles avait pu se volatiliser tel un magicien, deux semaines auparavant.

– Viens, suis-moi! lançai-je à mon ami.

Malgré lui, Jo s'accroupit pour ramper derrière moi, dans les canalisations poussiéreuses.

– Quelque chose me dit que ça va mal finir, cette histoire-là, maugréa-t-il dans le noir.

– Plutôt utile, la lampe de poche que Charles nous a donnée…, dis-je en l'allumant pour diriger son faisceau sur le croquis en forme de labyrinthe. Selon le dessin, un des chemins se rend jusqu'au vestiaire de la piscine.

– Dépêche-toi d'avancer, alors, ronchonna Jo. C'est pas super agréable d'avoir tes fesses dans le visage…

De temps en temps, je m'arrêtais pour observer le plan avec minutie et choisir le bon embranchement. Je me demandais comment Charles pouvait connaître aussi bien les mystérieux dessous de notre collège… Une dizaine de minutes plus tard, on se retrouva devant un cul-de-sac, intitulé « destination » sur la carte. Je poussai la plaque métallique devant moi et pouf! Le vestiaire apparut devant mes yeux. Stupéfiant!

– On est pas plus avancés, on sait même pas dans quelle case Lapalme-Dor a rangé ses choses, mentionna Jo, toujours aussi terre à terre.

– Charles a écrit « cadenas rouge à numéros » sur la feuille.

On regarda autour de nous.

— Ça doit être celui-là, déclara mon ami, c'est le seul de cette couleur. Je te gage que Macchabée-Simard t'a mentionné la combinaison, en plus?

— Oui, répondis-je. « 17-50-22. »

— Comment il fait pour savoir tout ça, lui?!

Jo tourna la roulette de façon à respecter l'ordre des trois chiffres et le cadenas s'ouvrit. Je m'emparai du cellulaire de Lapalme-Dor et le tendis à Jo, qui sortit un second appareil de sa poche.

— Ce que je vais faire est hautement illégal, expliqua-t-il. Je vais copier le contenu de son téléphone dans le mien. Son téléphone maintenant « hacké », lorsqu'il va recevoir un texto, l'information sera copiée et on y aura accès.

— Ouah! Incroyable!

— En technologie, tout est possible.

Il relia le téléphone de Lapalme-Dor au sien à l'aide d'un fil électronique et commença à pianoter sur son appareil.

– Ça va prendre quelques minutes…

Au même moment, on entendit quelqu'un pousser la porte du vestiaire! Je réagis sans réfléchir: j'envoyai Jo au fond de la case et refermai la porte sur lui. Pour ma part, je privilégiai le confort et me cachai derrière les casiers. Furtivement, j'aperçus RoboBob en pleine tournée de reconnaissance des lieux. Il regardait un peu partout et, malheureusement pour moi, ma cachette semblait sa prochaine destination. Sur la pointe des pieds, je me faufilai jusque dans la douche la plus proche, espérant que ses fonctions cérébrales de cyborg ne contiennent pas l'option «détecteur de mouvement». Au loin, les paroles des animateurs contribuaient à couvrir mes déplacements.

– Jean Faucher a fait son cent mètres brasse en 2 min 15 s!

– Un résultat dans ces eaux-là, effectivement.

RoboBob regarda derrière la rangée de cases et ne vit rien. Il décida donc d'aller voir ailleurs si j'y étais. Fiou!

– Lapalme-Dor est arrivé bon deuxième, derrière mademoiselle Carrière-Desroches.

Voici sa chance de se rattraper avec le plongeon olympique.

— Effectivement, Marc. Mais sa confiance a été ébranlée, on peut dire qu'il est maintenant en eau trouble.

— Euh... c'est moi qui fais les blagues, Simon. Il me semble que c'était clair.

— Oui... comme de l'eau de roche!

— Hé! Qu'est-ce que je viens de dire?

— Oups! Désolé, c'est sorti tout seul...

Après le départ de RoboBob, je me précipitai sur la case de Xavier et délivrai Jo.

— Vite, il va bientôt avoir fini de plonger!

— J'ai presque terminé de télécharger le contenu. Une minute.

— Argh!

Je me pris la tête entre les mains, désespéré. De l'autre côté de la porte du vestiaire, on entendit Lepitre-Rathé s'extasier:

– Les juges viennent de donner une note de neuf virgule cinq au plongeon de Lapalme-Dor. Ça va être dur à battre !

Enfin, Jo débrancha son fil, replaça le téléphone et referma la case.

– OK ! C'est fait ! On peut y aller.

– Et puis ? nous demanda Charles en nous voyant revenir.

D'un signe du pouce, Jo lui fit comprendre qu'on avait réussi. Un sourire illumina son visage. En prime, on arrivait juste à temps pour le plongeon d'Andréanne ! Quelle chance ! Majestueuse, elle se tenait au bout du tremplin, de dos. Elle avait décidé d'élever le niveau de difficulté en sautant vers l'arrière. Au ralenti, je la vis se donner un élan, se propulser dans les airs, effectuer un tour sur elle-même en se tenant les jambes, mettre les bras en croix avant de les allonger pour… fendre l'eau avec une grâce époustouflante. Je n'avais jamais rien vu d'aussi beau !

Quand elle ressortit de la piscine, son visage exprimait l'incertitude. Pouvait-elle avoir fait mieux que neuf virgule cinq ? Le premier juge leva son carton : dix ! Le second : même score ! Le troisième : encore ! Et le quatrième… Seigneur, il faisait exprès pour prendre tout son temps avant de tourner son carton ! Dans la salle, le suspense était à son comble. Dix !!!!!!

– Mesdames et messieurs, Andréanne Carrière-Desroches vient de se voir attribuer la note maximale ! s'exclama Simon.

– Méchante douche froide pour l'équipe des Dieux de l'Olympe !

– En effet, Marc. Si on regarde le tableau des résultats, on peut voir que les Surprenants prennent les devants.

Les Surprenants	23 points
Les Dieux de l'Olympe	22 points
Les Lions indomptables	14 points
Les Parfaits Champions	11 points
Les Effroyables Gladiateurs	5 points

Me frayant un chemin dans la mer de monde, je rejoignis Andréanne et lui sautai dans les bras. Je devins tout trempé, mais je ne le remarquai même pas.

— Bravo, mon amour !

— Tu m'as vue ?

— Oui, j'aurais manqué ça pour rien au monde. T'es la meilleure !

Et je l'embrassai devant tout le monde. Tendrement.

— Ouuuuuuuuuuuuuuhhhhh !

Quelques sifflements déplacés fusèrent.

— Ahhhhhhh !! soupira Favreau-Durand. Ça doit être plaisant de vivre d'amour et d'eau fraîche !

PLAN DES TUNNELS

Connaître tous les passages secrets de
ton école est un atout indispensable!

ENTRÉE

SORTIE

IV

Le lendemain, le réveil fut brutal pour tout le monde. Dans le couloir adjacent à notre salle de repos, une surprise nous attendait. Une surprise **de taille**.

– Wow… T'as vu ça ? interrogea un élève.

– C'est quoi le rapport ? demanda un second.

Devant nous, sur le mur, il y avait un graffiti géant.

Une rose noire.

Je n'étais donc pas fou ! Il y avait bel et bien un élève qui magouillait la nuit dans notre dortoir. Un vandale. Et, pour une raison X, il en voulait à Charles. Par chance, ce dernier était passé maître dans l'art de la débrouillardise, découvrant notamment au passage les souterrains de l'école tandis qu'il cherchait une cachette pour fuir ses intimidateurs. Il nous avait fait part de ce secret la veille, en soirée. Il nous avait aussi expliqué comment il avait réussi à relever le numéro du cadenas de Lapalme-Dor en l'espionnant.

Plutôt impressionnant.

— Les gars, regardez ça !

Arrivant derrière nous, Jo me glissa subtilement un objet dans la main. Son téléphone. Je quittai l'attroupement d'élèves pour y jeter un regard discret. Le plan avait fonctionné ! On venait de recevoir les premiers textos envoyés à Lapalme-Dor.

Xav dit : Yo Phil !

Phil dit : Whasup ?

Xav dit : Ta vu Igraf ?

Phil dit : Ouin. Intense.

Juste trop incriminants, n'est-ce pas ?

– Il faut absolument montrer ça à la direction ! m'exclamai-je.

Mon meilleur ami partageait mon avis, mais Charles péta notre bulle aussitôt.

– Ces messages sont trop vagues… Si on les regarde attentivement, ils disent qu'ils ont vu le graffiti. Pas qu'ils l'ont dessiné.

Là, il marquait un point. Tant qu'à avouer nos propres méfaits électroniques, mieux valait attendre de présenter des preuves tangibles.

– Puis réfléchissez une seconde. Comment on va expliquer au directeur qu'on a les textos destinés à un autre téléphone ? Si on tient compte que, premièrement, ces appareils sont interdits dans l'école, voulez-vous en plus avouer que vous êtes des pirates informatiques ?

Dit comme ça, notre plan paraissait aussi troué qu'une vieille chaussette. Mais, avec des bonnes explications, sachant que monsieur Lachance nous aimait bien, peut-être que…

– Qu'est-ce qu'on fait, alors ? le questionna Jo.

— On attend d'autres textos, conclut Charles. Le directeur aura pas le choix de passer par-dessus notre piratage quand il va voir la gravité de la situation. Pour l'instant, on se concentre sur les olympiades. Allons gagner la prochaine épreuve!

Il était gonflé à bloc par son désir de victoire et de vengeance. Je lui passai un bras autour de l'épaule:

— Ça tombe bien, c'est à ton tour!

Notre enthousiasme se dégonfla plus vite qu'un pneu de tricycle ayant rencontré un cactus. Même s'il donnait tout ce qu'il pouvait, Charles n'arriverait jamais à la cheville de Philippe Laflamme-Hotte.

— L'équipe de Pierre-Antoine Gravel-Laroche a commencé la journée en première position, mais elle n'y restera pas bien longtemps, commenta Simon.

— Le contraire serait «surprenant», tu trouves pas?

– Très vrai, Marc, très vrai. Les Dieux de l'Olympe sont dans une forme divine, ce matin. Ils ont remporté la première place des sauts en longueur ET en hauteur. Il reste seulement le saut à la perche, dernière chance pour Charles Macchabée-Simard de stopper l'hémorragie.

– Y a-t-il un docteur dans la salle ?

En bordure du terrain de baseball où avaient lieu les épreuves, notre équipe applaudissait, sautait sur place et criait de toutes ses forces pour encourager Charles. Mais… on était les seuls. La foule s'était rangée du côté du clan adverse. Pour me changer les idées, je demandai à Jo :

– Un nouveau texto sur le téléphone ?

– Non…

Perche à la main, le premier concurrent se présenta. Il s'agissait d'un membre des Parfaits Champions : Gerry Boileau-Dulac, un jeune à la soif insatiable qui détestait son prénom (il le traînait comme un boulet). À contrecœur, il prit une dernière gorgée de sa gourde, la déposa et se mit en position.

– Deux mètres cinquante, voilà la hauteur de la première barre qu'il devra franchir, précisa Marc.

Boileau-Dulac plaça sa main gauche à l'avant du long bâton et posa la droite près de l'extrémité. Lepitre-Rathé remarqua :

– Il semble déterminé à faire remonter la pente à son équipe.

– Je dirais même plus, Simon : il a soif de vengeance !

Il s'élança, perche dans les airs, pareil à un chevalier prêt à embrocher violemment son adversaire dans un duel. En s'approchant du sautoir, il poussa même un cri de guerrier. Mel Gibson dans *Braveheart* pouvait aller se rhabiller ! (Et, pendant qu'on y est, mettre un caleçon sous son kilt...) Malheureusement, Gerry accrocha la barre dans les airs et la fit tomber, se disqualifiant.

– Oooooon ! Quelle déception ! lança Simon.

– Oui, la foule est restée sur sa soif...

Jacques Faucher et Sébastien Morand-Voyer réussirent quant à eux à atteindre la hauteur désirée, mais ils furent éliminés au second tour. Désormais, il ne restait plus que Laflamme-Hotte et Charles.

– La barre est à trois mètres, annonça Lepitre-Rathé, du suspense dans la voix.

– Il faut qu'il réussisse ce coup-là, espéra Alex, anxieux.

– Il va l'avoir, ajouta Andréanne pour nous rassurer.

Philippe fit un bond parfait. Effectuant un renversé, il balança ses pieds vers le haut afin d'être projeté le plus loin possible dans les airs. Avec aisance, il passa au-dessus de la barre. De généreux applaudissements accompagnèrent l'exploit.

– Ceux qui espéraient que Laflamme-Hotte ne fasse pas long feu doivent être déçus, remarqua Favreau-Durand.

Au tour de Charles, les encouragements s'estompèrent. Nerveux, notre coéquipier plaça ses mains moites sur la perche. Il s'élança en direction du sautoir, passa la hauteur requise et alla choir sur l'énorme coussin dans un pouf! magistral. Mais… il avait frôlé la barre, laquelle se dandinait dangereusement.

– Iiiiiiih!!! Restera-t-elle accrochée? s'interrogea Lepitre-Rathé.

Je croisai les doigts. Inutilement… le poteau quitta son socle et s'écrasa lamentablement au sol, assommant presque Charles au passage. La foule fit entendre sa joie avec bruit.

– Il y a pas de quoi tomber des nues, analysa Favreau-Durand, c'était plutôt prévisible que les Dieux de l'Olympe reprendraient la première position. Voyons voir les résultats.

Les Dieux de l'Olympe	38 points
Les Surprenants	34 points
Les Lions indomptables	23 points
Les Parfaits Champions	16 points
Les Effroyables Gladiateurs	9 points

Charles nous rejoignit, la face longue. Alex et Andréanne essayèrent de lui remonter le moral, lui expliquant que tout n'était pas perdu.

Le pointage leur donnait raison: l'écart n'était que de quatre points, après tout.

— Est-ce qu'on a reçu un texto qui incrimine mes intimidateurs, au moins? s'enquit Macchabée-Simard.

— Négatif, avoua notre hackeur professionnel.

Notre nouvel ami soupira.

— T'en fais pas, l'encouragea Andréanne, je suis sûre que Jo va gagner la prochaine épreuve.

— Je vais donner mon 110%! affirma ce dernier, tel un joueur de hockey commotionné de la LNH. Tiens, P.-A., surveille le téléphone pendant ma course.

— C'est maintenant l'heure du cent mètres haies, claironna soudainement Lepitre-Rathé. Voilà une épreuve qui s'annonce excitante!

— Oh oui! confirma Favreau-Durand. Avec ces barrières végétales, il y a de grands risques que quelqu'un se plante.

Notre équipe se déplaça en bordure de la course à obstacles, jouant suffisamment du coude pour être près de la ligne de départ. Quel membre des Dieux de l'Olympe Jo affrontait-il? Émilie Nelligan. Pour je ne sais quelle raison, celle-ci semblait particulièrement mécontente de voir mon meilleur ami à ses côtés. Le mot n'était pas assez fort. En réalité, elle avait l'air en furie. Pourquoi? Aucune idée. Peut-être parce qu'elle avait dû changer de discipline après le changement imposé par Lapalme-Dor, lequel avait voulu plonger à sa place pour battre Andréanne.

— Je rappelle à tous qu'une équipe sera éliminée à la fin de cette épreuve, mentionna Lepitre-Rathé.

— Exact, Simon, il n'en restera plus que quatre pour la lutte gréco-romaine. Et trois pour la course à relais de demain, à laquelle tous les membres de ces équipes devront participer.

Quant à Jo, il ne semblait pas du tout dérangé par l'attitude négative de son adversaire. Même qu'il paraissait plutôt heureux d'être tout près d'elle et de pouvoir la contempler à la dérobée. Le coquin!

– Jo n'est pas très attentif à la course, nota Andréanne, ne sachant pas si elle devait rire ou s'insurger de son manque de concentration.

Tout à coup, un objet vibra dans ma poche. Le téléphone! Je recevais un texto. Subtilement, j'en lus le contenu. Je n'en croyais pas mes yeux (peut-être en partie à cause de la quantité de fautes que je lisais…).

Xav dit: Cé lbon moment pour un aut graf

Phil dit: OK. Où?

Xav dit: Dans cour, sul mur ki donne acoté du buro du directeur

Phil dit: Dangereux comme spot, non?

Xav dit: Personne va nous voir ak la course

Phil dit: Dac

Je le montrai à Charles, qui eut l'air vraiment surpris. Parmi la foule, je tentai de repérer Xavier et Philippe. En vain. Étaient-ils déjà partis accomplir leur méfait?

– Je pourrais les prendre en flagrant délit et les photographier avec le téléphone pour avoir une preuve, suggérai-je.

– Je viens avec toi, décida Andréanne après avoir lu l'échange de textos.

Encore secoué, Charles approuva.

– Cette fois, on les tient.

En forme de «u», la cour se terminait avec les bureaux administratifs. Très risqué d'y effectuer un graffiti: si un surveillant vous surprenait en pleine action, impossible de vous enfuir de ce cul-de-sac. Je ne comprenais pas pourquoi Xavier et Philippe avaient choisi cet endroit, outre peut-être pour le défi que ça représentait. Mais, pour nous, c'était parfait. Ils seraient totalement à découvert pour nos clichés.

– T'es prêt? me chuchota Andréanne.

Je hochai la tête et joignis mon index à mes lèvres. Pas le moment de faire du bruit. L'instant était crucial. Ces photos compromettantes allaient peut-être nous permettre de les dénoncer à la direction et de mettre fin à toute cette histoire. Je sortis l'appareil de ma poche et le déplaçai de façon à ce qu'il capte la scène, sans me mettre à découvert. Je jubilais intérieurement à l'idée de les prendre sur le fait. J'appuyai plusieurs fois sur le bouton pour avoir au moins une bonne photo. Clic clic clic!

– OK, filons! me conseilla Andréanne.

Sur le point de me replier, je regardai la dernière photo que j'avais prise.

– Euh… Attends! On voit rien!

Je tendis l'appareil à mon amour. Tout comme moi, elle n'y vit ni graffiti ni graffiteur. Le mur était aussi vide que le crâne de Lebœuf-Haché.

– On est peut-être arrivés avant eux, suggéra Andréanne.

– Ou ils ont choisi un autre endroit…

Nos hypothèses ne me satisfaisaient pas. Il manquait un morceau au puzzle… mais lequel? J'avais la sensation de m'être fait prendre de court.

Comme si c'était nous qu'on épiait… et non l'inverse.

MYOPE-QUIZ N° 2

1. Parmi les personnages suivants, lequel N'EST PAS un réel superhéros ?

   a) Arm-Fall-Off-Boy. Créé par DC Comics, ce personnage a traîné trop longtemps en présence de matière antigravité. Pour se battre, il peut… arracher son bras et frapper ses ennemis avec!

   b) Jean-Paul Beaubier, alias Northstar. Est un membre des X-Men provenant du… Québec! Skieur olympique, ce héros de Marvel survit à nos froides températures en atomisant ses propres molécules.

   c) Chuck Taine, aussi connu sous le nom de Boucing Boy. Il a bu un superbreuvage qu'il croyait être du Coca-Cola. Il a ainsi obtenu son pouvoir incroyable: devenir un gros ballon. Pratique quand on veut se sauver en rebondissant…

   d) Ulu Vakk, alias Color Kid. C'est un scientifique qui a été exposé à un rayon lumineux, ce qui lui permet de changer les couleurs d'un dessin. Wow… Trop impressionnant, comme superpouvoir… Malheureusement, c'est peu efficace contre les daltoniens.

   e) Steve «Iron Hayden» Dickinson. Il travaillait dans une quincaillerie lorsqu'un météorite a écrasé le magasin. Désormais, il peut manger des clous et s'en servir pour mitrailler ses adversaires! La rumeur veut que ses frais de dentiste soient astronomiques…

V

Le début de la fin.

Voilà ce qui décrivait bien notre situation. Tout allait de mal en pis. Après notre tentative de prendre les intimidateurs en flagrant délit – échec lamentable –, Jo n'avait pas terminé la course en première position. Il avait même fini dernier.

– Je suis désolé, s'excusa-t-il, l'air piteux et les genoux écorchés. Je sais pas pourquoi je me suis enfargé dans la première haie.

– Si t'avais regardé devant toi, aussi, au lieu de fixer Émilie! répliqua Charles sur un ton bête. On est pas dans une agence de rencontres, ici.

De plus en plus irrité à l'idée de ne pas remporter le trophée et obtenir sa vengeance, notre nouvel ami avait recommencé à se frotter les mains frénétiquement.

— Au moins, les Dieux de l'Olympe ont pas fini premiers cette fois, argumenta Jo. Émilie est arrivée troisième.

— Il continue de parler d'elle ! Pfff ! se plaignit Charles. T'en fais une obsession ou quoi ?!

Pauvre Charles… Sa déception n'était pas sur le point de disparaître : c'était à mon tour de faire perdre notre équipe. Avec nos résultats actuels, on ne faisait pas face à l'élimination, mais nos chances de remporter la première position commençaient à devenir aussi minces qu'un chihuahua anorexique.

Les Dieux de l'Olympe	41 points
Les Surprenants	35 points
Les Lions indomptables	27 points
Les Parfaits Champions	21 points
Les Effroyables Gladiateurs	11 points

— Mesdames et messieurs, voici l'heure de notre cinquième épreuve: la lutte gréco-romaine! s'époumona Favreau-Durand.

— Contrairement à certaines écoles européennes ou américaines, on pratique pas vraiment ce sport ici, Marc. Par contre, elle a été intégrée à notre événement, car elle a toujours été un point culminant des olympiades antiques, et elle est un incontournable depuis les Jeux d'Athènes en 1896.

— Exactement, Simon. Tu m'enlèves les mots de la bouche.

Cette fois-ci, tous les élèves étaient réunis dans le gymnase. Un cercle rouge de neuf mètres de diamètre avait été délimité au sol. Et c'est dans ce cercle que ma vie allait prendre fin dans quelques instants.

— En raison de leurs résultats, exposa Lepitre-Rathé, les Effroyables Gladiateurs ont été éliminés de la compétition. Ça tombe bien, parce que celui qui devait concourir pour eux cet après-midi, Guillaume Gemme-Laliberté, n'a pas été vu depuis ce matin.

– Quelque chose me dit qu'il a dû abandonner la lutte…

Pour couronner le tout, je devais enfiler un costume ultramoulant rouge pour participer à l'épreuve, et un casque de protection pour la tête. J'avais les épaules à découvert et les collants se terminaient à mi-cuisse, en plus d'avoir une fâcheuse tendance à en révéler un peu trop à mon goût au niveau de l'entrejambe.

De. Toute. Beauté.

– Avec un tel accoutrement, il serait facile de faire des blagues en dessous de la ceinture, remarqua Favreau-Durand.

– Seules les prises au haut du corps sont autorisées en lutte gréco-romaine, Marc.

En sortant du vestiaire, je m'installai en ligne avec mes trois adversaires potentiels, dans l'attente de plus amples instructions. Je croisai les mains à la hauteur de mon bassin, pour ne pas dévoiler tous mes charmes. Je me sentais aussi nu qu'Adam, après qu'un coup de vent inopportun eut fait s'envoler sa petite feuille de vigne.

— Les duos qui devront s'affronter seront tirés au sort, précisa Favreau-Durand. Les gagnants de la première ronde passeront ensuite en finale l'un contre l'autre.

— Dix points seront accordés au grand vainqueur, cinq à celui qui arrivera en deuxième position et aucun aux deux autres.

— Voilà qui pourrait mettre une équipe K.-O.

— Oh! Voici le directeur qui s'avance pour le tirage.

La foule se tut automatiquement. Croisant les doigts, j'espérais être jumelé avec le plus frêle de mes concurrents, celui de l'équipe des Parfaits Champions. Jean-Bernard (dit «Bernie») Lhermitte, un gars peu sportif et plutôt renfermé sur lui-même.

— Les premiers à s'affronter seront..., annonça le directeur au micro, Samson Faucher et Jean-Bernard Lhermitte!

Oh non! Ça voulait dire que j'allais affronter Lebœuf-Haché!! D'ailleurs, il me faisait son plus beau sourire (découvrant en même temps le méga morceau de dîner pris entre ses dents d'en avant). Qu'on me refasse le portrait, d'accord. Mais finir la journée écrasé comme une vulgaire boulette de hamburger, là, il y avait des limites!

– Normalement, les catégories sont créées en fonction du poids, nous renseigna Lepitre-Rathé. Mais nous n'avons pas assez de concurrents pour suivre les règles à la lettre.

– Je voudrais pas être dans les culottes de Pierre-Antoine Gravel-Laroche en ce moment, avoua Favreau-Durand.

– Moi non plus, Marc, moi non plus.

– Et je dis pas seulement ça en raison de son look…

Les deux premiers concurrents s'avancèrent dans le cercle rouge réglementaire. Dans le rôle de l'arbitre, Monsieur Net donna ses instructions et les adversaires se serrèrent la main. Un coup de sifflet retentit. Avec l'énergie d'un bélier voulant défoncer un mur, les deux combattants s'élancèrent l'un vers l'autre. La foule se mit à hurler son contentement: «Du sang! Du sang!» Le seul avantage à attendre pour être réduit en Pablum au second tour: ça me donnait le temps de comprendre les règlements. *Grosso modo*, on avait deux minutes pour faire le «tombé», c'est-à-dire maintenir les omoplates de l'adversaire au sol pendant au moins deux secondes. Si un des deux lutteurs mettait un pied, une main ou toute autre partie de son corps à l'extérieur de la zone réglementaire, le combat devait reprendre au milieu du cercle.

– Bernie est déchaîné, mesdames et messieurs! constata Lepitre-Rathé.

– En voilà un qui vient de sortir de sa coquille!

Samson fut pris par la taille et projeté au sol. Son adversaire avait fondu sur lui avec une rapidité étonnante. Ça augurait mal pour la suite.

– La prise que Bernard effectue se nomme l'«amené au sol contrôlé», Marc. Ce type de manœuvre lui vaudra quelques points de la part du chef de tapis si, au bout de deux minutes, il n'a pas réussi à maintenir son adversaire au sol.

– Il ne reste que trente secondes…

Malgré son corps chétif et ses muscles rachitiques, Bernie souleva son opposant, le tourna dans les airs et le repoussa violemment à terre. Samson en eut le souffle coupé. Abandonnant toute combativité, il se laissa tomber sur le dos, les épaules plaquées au sol.

– Incroyable! s'étonna Lepitre-Rathé. La famille Faucher perd le premier tour.

– Il faut dire que Samson n'est plus le même depuis qu'il s'est fait couper les cheveux…

Il y eut ensuite un second round, mais l'issue du combat demeura la même. Samson fut éliminé.

– Qui aurait cru cela de la part de Bernie Lhermitte?

– Tu sais ce qu'on dit: «Dans les petits pots, les meilleurs onguents.»

– Un proverbe de ton grand-père?

– Un peu de respect pour tes aînés, Simon.

Un coup de sifflet retentit. L'heure de ma mort venait de sonner. Au moins, j'avais signé l'endos de ma carte-soleil pour le don d'organe.

— J'espère que t'as l'intention de retirer tes lunettes, jeune homme, m'avertit l'arbitre.

Oh non! En plus, j'allais être dans le flou total. Je suivis son conseil. Décidément, il fallait vraiment que je me procure des verres de contact (mais chaque fois que je pensais à me mettre un doigt dans l'œil… isssh… le cœur me levait).

— N'oubliez pas, je veux un combat propre, nous rappela Monsieur Net. Aucun coup sous la ceinture, pas de torsions d'articulations ni d'étranglements ou de chatouillements.

— Sans problème, répondit Lebœuf-Haché, cachant difficilement son empressement à me massacrer.

En signe d'approbation, je hochai la tête à mon tour.

— Serrez-vous la main, nous ordonna alors l'arbitre.

Aïe! Mes jointures! Avais-je mal entendu et Monsieur Net avait dit: «Broyez-vous la main»?

– VAS-Y, P.-A., m'encouragea Andréanne.
T'ES CAPABLE!

Sa confiance en moi me revigora un peu.
J'entendis le sifflet annonçant le début du
combat. Déjà!? Lebœuf-Haché fonça vers moi.
Réagissant avec la spontanéité d'un chevreuil
devant les phares d'une voiture, je figeai sur
place et me fis plaquer au sol. Ouch! L'air de
mes poumons venait d'être expulsé d'un seul
coup. Je suffoquais. Francis me dominait du
haut de ses cent kilos.

– Ça fait tellement longtemps que j'attends
ce moment-là, me dit-il à l'oreille.

J'essayai de me débattre et de l'empêcher
de coller mes épaules au sol, mais seul mon nez
bougeait.

– Fermez les yeux, les enfants, commenta
Favreau-Durand, c'est un massacre.

Écrasé au sol, je me sentais humilié. Les
exclamations de la foule résonnaient dans ma
tête avec fracas, comme si toute l'école cherchait
à me ridiculiser. Le pire, c'est que je n'arrivais
pas à déceler les expressions sur les visages.
J'imaginais celle de nos adversaires, qui devaient

se réjouir de me voir ainsi bafoué. Je serrai les poings et me relevai avec détermination pour prendre ma revanche au deuxième round.

– *Go*, P.-A.! Il te reste encore une chance! s'écrièrent les membres de mon équipe, en chœur.

Je ne pouvais pas les laisser tomber. Coup de sifflet. Lebœuf-Haché déboula vers moi avec la grâce d'un dix-huit roues. Je l'esquivai, tel le drapeau rouge d'un toréador. *¡Olé!*

– Utilise tes forces, P.-A.! me recommanda Andréanne. Il a pas ta vitesse ni ton endurance!

Suivant son conseil, je me mis à courir en rond à l'intérieur de l'anneau.

– Viens ici, toi! haleta Lebœuf-Haché.

Je poursuivis mon manège, réussissant à lui filer entre les doigts dès qu'il tentait de m'attraper.

– Continue comme ça! me soutint Alex.

– Tu l'épuises! cria Jo.

– Il ne reste plus que trente secondes à ce round, nota Lepitre-Rathé au micro. S'ils continuent ce rodéo, aucun point ne sera accordé.

Derrière moi, Lebœuf-Haché sonnait comme un homme qui aurait avalé un harmonica.

– Quinze secondes.

C'était le moment ou jamais. Je me retournai et le plaquai de toutes mes forces en mettant mes bras autour de sa taille. Tel un arbre abattu en pleine forêt, il s'étala de tout son long et je tombai avec lui.

– Cinq, quatre, trois…

Dans un dernier effort surhumain, je maintins ses épaules au sol pendant… deux secondes !

– Impossible ! s'exclama Lepitre-Rathé. Pierre-Antoine Gravel-Laroche remporte ce second tour.

– Un troisième round sera donc nécessaire pour déterminer le gagnant.

Monsieur Net demanda de l'aide pour remettre Lebœuf-Haché sur pied. Où sont les grues quand on en a besoin? De retour à la verticale, il me rejoignit au centre du cercle.

– Pense pas que tu vas m'avoir de même deux fois de suite.

Il avait raison, j'avais besoin d'une nouvelle stratégie. Monsieur Net souffla dans son sifflet et le round décisif débuta. Cette fois, je tentai d'éviter mon adversaire, mais ne réussis pas. Sauf qu'à sa plus grande surprise, je restai debout et on demeura au corps à corps pendant un moment.

– On dirait deux orignaux qui se battent pour une femelle, observa Lepitre-Rathé.

– C'est exact, Simon. J'espère qu'ils essayeront pas d'autres méthodes moins recommandables pour marquer leur territoire…

Dans un excès de colère, Francis me prit par la taille et me souleva. Oh non!

– Francis semble vouloir lui faire la « prise de la baleine ».

– Il s'est probablement dit : « C'est assez ! »

En me débattant, je me retrouvai par malheur les pieds dans les airs et la tête vers le sol. De pire en pire. Je donnai un coup vers l'arrière de tout mon corps, ce qui eut pour effet de déstabiliser Lebœuf-Haché et de le faire tomber à la renverse. S'abattant au sol, mon adversaire émit un hoquet de surprise. Je quittai enfin son étreinte et mis tout mon poids sur ses épaules.

– Une seconde, cria l'arbitre, et… DEUX !

Andréanne me rejoignit et elle m'entoura de ses bras. C'est en plongeant mon regard dans ses yeux aimants que je compris : j'avais remporté l'épreuve !!

L'impossible venait d'être accompli !

CONSEIL N° 32

Se trouver une passion, jouer d'un instrument de musique par exemple, te permettra de faire de belles rencontres, de forger de nouvelles amitiés et de développer ta confiance en toi (à moins, bien entendu, que ta passion consiste à collectionner des nains de jardin, des hiboux en peluche ou, pire, les mousses de ton propre nombril...).

VI

À la finale, je fus malheureusement battu par Bernie. Rapidement, en plus. Il ne faut pas se fier aux apparences : c'est loin d'être un mollusque ! Mais peu importe : en remportant cinq points et en empêchant les Dieux de l'Olympe d'en recueillir davantage, je nous avais redonné des chances de gagner le trophée.

Les Dieux de l'Olympe	41	points
Les Surprenants	40	points
Les Parfaits Champions	31	points
Les Lions indomptables	27	points

En quatrième position, les Lions indomptables durent retourner à leur cage : ils ne participeraient pas à la course à relais, laquelle avait lieu un samedi. Eh oui ! Pour que nos parents et toute la ville puissent y assister. Yé! Encore plus de pression pour nous…

Cependant, avant que les visiteurs n'arrivent, il y eut une légère commotion dans l'école. Quelques curieux s'attroupèrent autour de Marcel, le concierge, qui astiquait vigoureusement la boîte protégeant le trophée. Quoi? Le ménage n'était pas à son goût? Surprenant! Entre deux têtes, j'aperçus ce qu'il frottait: de la peinture en aérosol.

Noire.

Pas de doute: le dessin à demi effacé était une rose. Le mystérieux vandale avait de nouveau frappé! Je me tournai vers Charles, espérant que le malfaiteur n'ait pas réussi à l'atteindre davantage avec ses menaces. En voyant son visage tordu par la haine, je compris que oui. Andréanne demeura constructive malgré la situation:

— Prenons cette saine colère et transposons-la dans l'activité physique.

— Exactement! renchérit Jo. S'ils cherchent à nous effrayer, ils se trompent: ça fait plutôt l'effet contraire.

Emporté par l'esprit victorieux qui s'emparait de l'équipe, Alex s'écria :

— Est-ce que vous êtes prêts à gagner le trophée, aujourd'hui ?!

— OUI ! laissa échapper Charles avec plus de force que nous.

Il tendit son bras et on fit notre cri de ralliement.

— Les… SURPRENANTS !

En voyant le regard des élèves autour de nous, je m'aperçus d'une chose : on semblait les seuls à croire en nos chances de réussite…

— Troisième et dernière journée d'épreuves ! annonça Lepitre-Rathé.

— Oui, Simon, et ça risque d'être très spécial. Toute la ville est là !

La course à relais avait lieu dans les rues de la municipalité et les spectateurs se pressaient sur les trottoirs bordant le parcours. Non seulement l'ambiance était très festive mais, en plus, la météo s'annonçait clémente. Coups de soleil et plaisir garantis. De nombreux commanditaires affichaient des panneaux géants le long du circuit, ce qui était excellent pour notre collecte de fonds.

— Le gagnant permettra à son équipe d'ajouter quinze points à son total, révéla Favreau-Durand au micro.

— La seconde place en récoltera dix et la troisième, aucun, compléta Lepitre-Rathé. Donc, selon le tableau de pointage actuel, chacune des trois équipes court la chance de remporter le trophée. Par contre, si les Parfaits Champions souhaitent la première position, il faut que les Dieux de l'Olympe terminent en dernier.

Parmi la foule se trouvaient de nombreux parents, dont ceux d'Andréanne. Ils étaient toujours aussi heureux de voir leur gendre préféré (le seul…). Pour ma part, j'aurais aimé que ma mère y soit, mais elle hésitait à assister aux événements organisés par l'école depuis octobre dernier. C'était compréhensible. Mais en pareille circonstance, je m'ennuyais d'elle, de sa présence, de ses encouragements. Nous nous étions beaucoup rapprochés, elle et moi, à la suite de mon aventure avec Power Power et de l'emprisonnement de mon père.

— Les cinq membres des équipes devront participer à cette dernière épreuve, commenta Favreau-Durand.

— Le seul handicap majeur qui pourrait empêcher les Dieux de l'Olympe de l'emporter facilement, c'est Francis Lebœuf-Haché. Nous avons eu un bref aperçu de ses talents de coureur pendant l'épreuve de lutte, et disons que son endurance est pas tout à fait au point…

Avant de prendre position, Charles tint à nous présenter l'adulte qui l'accompagnait, son oncle.

— Enchanté, fis-je en levant une main incertaine vers l'homme à ses côtés, qui avait la même chevelure noire et le même teint pâlot que Macchabée-Simard.

Il avait une tronche à faire peur. Au contact de sa poigne, je sentis un froid glacial couler dans mes veines. Malgré la température extérieure, j'eus un léger frisson. Ce que je voyais dans ses grands yeux noirs – on aurait dit un puits sans fond – ne me plaisait guère.

– Merci d'être là pour mon neveu, prononça-t-il d'une voix d'outre-tombe, le secondaire peut parfois être un chemin de croix d'une telle solitude…

– Tout le plaisir est pour nous, affirma Andréanne, visiblement mal à l'aise elle aussi devant cet étrange personnage.

– Bonne chance pour aujourd'hui, croassa-t-il ensuite. Soyez glorieux!

Je le regardai s'éloigner. Il fendit littéralement la foule, puisque les gens reculèrent sur son passage. Je me rappelai alors son métier de croque-mort. OK, mais devait-il nécessairement avoir l'air d'un stéréotype déambulant? C'est tout juste s'il ne se promenait pas avec un vautour sur l'épaule…

– Les participants doivent maintenant prendre place à la ligne de départ! annonça Lepitre-Rathé avec excitation.

Pour partir du bon pied, il avait été convenu qu'Andréanne commencerait la course. Il avait aussi été décidé que je sprinterais en deuxième, car c'était la position occupée par Émilie Nelligan. Après la défaite d'hier, on ne voulait pas courir le risque de la jumeler avec Jo, qui irait en troisième. Alex et Charles fermeraient le bal.

Tandis que je prenais place à la deuxième borne, je voulus piquer une petite jasette à mon adversaire, mais m'en abstins finalement. Émilie semblait aussi furieuse que la veille. Je ne comprenais pas pourquoi sa colère était maintenant dirigée contre moi. Que lui avais-je fait? Délaissant miss Nelligan et sa moue boudeuse, je tendis l'oreille pour entendre le discours de bienvenue de monsieur Lachance.

– Chers concitoyens, collègues de travail, parents et élèves, je me dresse devant vous aujourd'hui, fier. Fier de leur année scolaire. Fier de ce que nos jeunes ont accompli durant les derniers jours. Mais, aussi, fier de ce qu'ils vont réaliser dans les années à venir. Il faut voir cette ultime compétition non pas comme la fin de quelque chose, mais bien comme le début d'une plus grande aventure. Celle du voyage en France qui les attend, oui, mais aussi celle d'une vie qui ne fait que commencer. À mes yeux, vous êtes déjà tous des gagnants!

Avant que le micro ne soit redonné aux deux animateurs et qu'on entende un Lepitre-Rathé se moucher bruyamment, ému, un coup de feu retentit. C'était parti! Avec entrain, la foule acclamait les coureurs. À l'horizon, je vis une ombre se préciser. Était-ce Joe Blier? Non! Il s'agissait d'Andréanne! Elle le devançait. Par contre, celui-ci la talonnait de près. *Vite, ma chérie, vite!* Leur tournant le dos, je m'accroupis, tendant ma main droite derrière moi, prête à recevoir le témoin. Émilie se tourna alors vers moi, me surprenant avec sa réplique:

— Comme ça, on n'était pas supposé être assez fort pour déjouer Lebœuf-Haché? C'est drôle, mais quelque chose me dit que c'était pas la première fois que tu réussissais cet exploit dernièrement...

Hein? Je n'eus pas le temps de lui répondre: Andréanne venait de me passer le bâton.

— *GO!* me cria-t-elle.

Je détalai aussi vite qu'un lièvre qui aurait goûté à la potion magique de Lance Armstrong (ou à celle d'Astérix, si vous préférez). Derrière moi, j'entendis Joe Blier gueuler à Émilie de me rattraper. Elle m'emboîta le pas. Un peu plus et je sentais son souffle sur mon cou. Elle me dépassa alors que j'étais à trois mètres de Jo. Elle donna son bâton à son coéquipier et je fis de même. Mais mon ami ne décolla pas tout de suite. À la dérobée, il jeta un coup d'œil à la jolie concurrente.

– QU'EST-CE QUE T'ATTENDS? hurlai-je à ce don Juan junior.

Défigeant enfin, il partit au trot. Heureusement, il n'eut aucun mal à rattraper Lebœuf-Haché en quelques secondes. Pour ma part, je voulais absolument assister à la fin de la course. Vite, direction la ligne d'arrivée!

Fiou! Grâce au dédale de ruelles empruntées, j'arrivai juste à temps pour voir le sprint final. Et… OUI!!! Charles était en première position! Par contre, même avec le retard causé par Francis, Lapalme-Dor le rattrapait dangereusement vite avec ses grandes cannes.

– DÉPÊCHE-TOI, CHARLES! m'égosillai-je, surpris qu'il me reste encore de l'air dans les poumons.

Oh non! Xavier venait de prendre la tête du peloton. Jamais Charles ne réussirait à le distancer à nouveau… Tout à coup, Lapalme-Dor poussa un hurlement de douleur. Il ralentit considérablement et je remarquai même qu'il boitait un peu. Que se passait-il? Peu importe, la chance souriait à Charles. Les deux franchirent la ligne d'arrivée à égalité. Déchaînée, la foule applaudit avec force.

– Et voilà, Simon, les Jeux sont faits, rien ne va plus.

– Oui, mais qui a touché le ruban en premier?

– Difficile à dire…

C'était tellement chaud qu'une photo prise à la ligne d'arrivée allait devoir déterminer le vainqueur. Quelle attente insoutenable!

– Après avoir observé les photos d'arrivée avec minutie, déclara le directeur, nous pouvons déterminer que le vainqueur est… Charles

Macchabée-Simard, donnant ainsi la première place à son équipe, les Surprenants!

I.N.C.R.O.Y.A.B.L.E!!

On avait gagné!! Je n'en revenais pas. Je sautai au cou de mon nouvel ami. Rapidement, je fus rejoint par Andréanne, Alex et Jo.

— Venez ici pour les photos officielles! nous invita monsieur Lachance.

Trophée en main, on prit la pose pour les journaux locaux tandis que les spectateurs nous ovationnaient. Tout autour de nous, les applaudissements crépitaient comme autant d'explosions de joie. Des confettis étaient lancés, retombant dans nos cheveux et sur nos épaules dans un tourbillon de bonheur.

— Qui aurait cru qu'ils finiraient en première position, Marc?

— Effectivement, Simon, voilà une équipe qui portait bien son nom.

— Eh bien! Comme dirait l'autre, c'est ça qui est ça dans le monde des sports!

Un cliché fut pris sur le podium avec un seul membre de chaque équipe. La plus photogénique d'entre nous – Andréanne – y monta. En voyant le rictus de défaite qu'affichait Lapalme-Dor sur la deuxième marche, je ressentis une énorme satisfaction. Par contre, je dois avouer que celle-ci fut légèrement ternie quand Laflamme-Hotte s'approcha de moi et me lança :

– Bande de tricheurs...

Les félicitations continuèrent pendant une bonne partie de la journée. C'était exténuant, mais il s'agissait d'une fatigue très agréable à vivre. Quand notre équipe se retrouva enfin seule, Andréanne demanda à la ronde :

– Qui garde le trophée ce soir ?

– Qu'est-ce que tu veux dire ? demanda Jo. Il est à nous tous, non ?

– Oui, mais je dors pas dans le même dortoir que vous, les gars ! On va devoir partager.

— C'est vrai, constatai-je.

Charles le retira alors des mains d'Andréanne et déclara :

— C'est simple, c'est moi qui le garde pour la semaine.

On s'esclaffa tous devant sa réaction. On cessa de rire lorsqu'on comprit qu'il était sérieux.

— Pourquoi toi plus qu'un autre ? l'interrogea Alex.

— C'est MOI qui ai fini premier.

Une ombre passa dans son regard, me rappelant désagréablement son oncle. La victoire lui avait-elle monté à la tête ? Probablement que c'était la première fois de sa vie qu'il remportait quoi que ce soit.

— Pfff… Pas juste toi, chose ! s'offusqua Jo. On a tous participé !

Je donnai un coup de coude à mon ami et tentai de calmer le jeu.

– La victoire appartient à chacun d'entre nous, Charles.

– Sans moi, vous auriez jamais osé vous inscrire, lança-t-il d'un ton perfide.

Andréanne eut l'air blessée par cette réplique.

– Et sans ma débrouillardise, poursuivit-il, vous auriez été incapables de gagner.

Soudain, je repensai à Lapalme-Dor, hurlant de douleur en fin de parcours.

– Qu'est-ce que tu lui as fait ? le questionnai-je, commençant à me demander si on méritait bel et bien notre première place.

– Je sais pas de quoi tu parles, affirma-t-il, serrant le trophée de plus en plus fort.

Qu'est-ce qui lui prenait ? Son attitude avait changé du tout au tout.

– Écoute, répliqua Andréanne, je nie pas ton importance dans notre équipe et t'as raison : si on t'avait pas rencontré, les choses se seraient produites différemment…

Charles sembla se détendre un peu.

— Par contre, continua-t-elle, tu peux pas t'attribuer les mérites tout seul. Je pense qu'on devrait tirer au sort.

Charles secouait la tête, signifiant que cette suggestion lui déplaisait. Mais il se rendait bien compte qu'on ne le laisserait pas partir avec la récompense. À contrecœur, il accepta la proposition. Puisqu'il s'agissait d'un trophée avec couvercle, on retira celui-ci et on glissa nos noms à l'intérieur, écrits sur des bouts de papier.

— On est bons joueurs, Charles, on te laisse piger, suggéra Andréanne-au-grand-cœur.

Il brassa les noms – un peu trop longtemps à mon goût – et finit par en choisir un. Il le déplia et son visage s'affaissa :

— P.-A., c'est ton nom…

— T'inquiète pas, rétorquai-je, je vais le garder pour aujourd'hui, mais on va alterner chaque jour. Tu l'auras d'ici cinq jours maximum.

Il accepta, piteux. Je dus quand même forcer un peu pour lui retirer le trophée des mains.

Cependant, je dois l'avouer, peut-être que Charles avait raison de s'inquiéter et de vouloir le garder précieusement.

Car le lendemain… le trophée avait disparu.

TROISIÈME PARTIE

PARTEZ...

(EN VOYAGE!)

I

6 juin

Les semaines suivant notre victoire furent difficiles. Entre autres parce qu'on devait continuer nos activités de financement pour le voyage (exemple : remplir les sacs des clients dans une épicerie – activité peu emballante). Mais surtout parce qu'il fallait constamment mentir à propos du trophée. Ne voulant pas être exécutés sur la place publique, on avait inventé une histoire : les vainqueurs étaient les seuls qui pouvaient le contempler et on le conservait en lieu sûr. Grosse déception de la part des élèves. Une chance qu'ils ne connaissaient pas la vérité… Découragés, on avait tenté de le retrouver avant notre départ. Échec lamentable. Et notre périple débutait ce soir ! En plus, les textos avaient mystérieusement cessé, comme si Lapalme-Dor avait changé de téléphone (ou que ses pouces étaient devenus muets). Mon moral était à son plus bas.

— T'apportes quoi comme vêtements? me demanda Jo, planté à côté de mon lit, une énorme valise à la main.

— Qu'est-ce que tu crois? répondis-je sans entrain. Toutes les versions de notre uniforme, puisqu'on est obligés de le porter en France…

Je pliai un de mes «beaux» chandails rayés bleu-blanc-vert et l'insérai au fond de ma valise, où il rejoignit ses frères jumeaux.

— À ce qu'il paraît, c'est bon pour le «sentiment d'appartenance», m'expliqua mon ami avec sérieux.

— Ouain… c'est ce que disent les adultes. Mais, étrangement, les seuls qui sont pour l'uniforme ont pas besoin de l'avoir sur le dos…

C'est alors qu'un visiteur inattendu se pointa dans le dortoir: Charles. Depuis notre altercation et la disparition du trophée, il avait pris ses distances. Je ne savais pas encore si cette situation m'attristait ou me soulageait.

— Les gars, j'ai quelque chose pour vous! dit-il, énervé, les mains derrière le dos.

Souriant de toutes ses dents, il faisait durer le suspense avant de nous dévoiler son secret.

— Allez, montre! lança Jo, impatient.

Macchabée-Simard s'assura que les autres élèves étaient trop affairés avec leurs valises pour s'occuper de nous et il murmura:

— Tadam!

L'air triomphant, il nous montra… le trophée!

— Hein!? Tu l'as trouvé où?

On se serait crus dans un spectacle d'illusionniste. La surprise nous sciait les deux jambes.

— Vous allez pas me croire…, débuta-t-il. Quand j'ai ouvert ma valise pour commencer à la faire, il y était. Tout simplement.

Euh… Vraiment?!?

— Qu'est-ce qu'il faisait là? s'étonna Jo.

– Attendez, c'est pas tout, poursuivit-il sans répondre. On m'a laissé un mot.

Entre les mains, il me glissa un petit bout de papier avec un seul mot écrit en lettres carrées : « Merci ! » Impossible de reconnaître la calligraphie avec ce minuscule échantillon.

– Je comprends pas, avouai-je. Merci pour quoi ?

– Ma supposition, c'est qu'il a été écrit par un membre des Dieux de l'Olympe. Ils se sont faits discrets durant les dernières semaines, vous trouvez pas ? Ils le cachaient, voilà pourquoi !

C'était vrai que, depuis notre victoire, ils ne nous avaient pas embêtés. Je dirais même plus qu'ils nous fuyaient. Ils avaient probablement trop honte de s'être fait battre. De mon côté, j'aurais bien aimé interroger Émilie Nelligan à propos de ses accusations pendant la course. Mais je n'avais pas réussi à l'approcher.

– Sauf que… pourquoi nous le redonner maintenant ?

Charles ouvrit la bouche pour me répondre, mais il fut interrompu par une exclamation de joie.

– Hé! C'est le trophée des olympiades!

Malgré notre discrétion, un élève l'avait aperçu. Aussitôt, un essaim de curieux nous entoura. On nous dardait de questions, lesquelles nous bourdonnaient aux oreilles. Il fallait trouver une explication. Solennellement, Macchabée-Simard déclara:

– Avant de partir en France, nous avons décidé de redonner ce joyau à tous. Ceux qui resteront ici pourront au moins le contempler.

Il se tourna vers moi, cherchant mon approbation.

– C'est exact, balbutiai-je, et puis… euh… je n'avais plus de place dans ma valise!

– Je peux le prendre? s'enquit un pensionnaire, fébrile.

Les yeux ronds comme des billes, celui-ci s'admirait dans la surface miroitante et dorée.

C'est tout juste s'il ne se mit pas à dire: «Mon préciiiiieux», avec la voix de Gollum.

– Bien sûr.

Charles le lui refila sans problème, comme s'il s'agissait d'une vieille relique trouvée dans une vente de garage. Mais où était donc passée sa possessivité maladive envers le trophée?

Nous étions près d'une trentaine à participer au voyage. De ce nombre, on comptait bien sûr les trois équipes ayant accédé au podium des olympiades ainsi que dix élèves parmi les plus méritants, sans compter les valeureux adultes accompagnateurs: monsieur Lachance, Monsieur Net et RoboBob, quelques profs et des parents que je ne connaissais pas. Le trajet en autobus scolaire jusqu'à l'aéroport se fit sans heurts, malgré la suspension préhistorique du véhicule. Seul événement cocasse à signaler: un élève à l'hygiène douteuse, répondant au doux nom d'Omer Poisson-Samoisi, écrivit «Lavez-moi» dans la saleté de la vitre, et Favreau-Durand lui demanda: «Tu fais référence à l'autobus ou à toi-même?»

Par contre, à l'aéroport, ce fut le chaos total. Certains se précipitèrent vers les chariots à bagages pour s'en servir comme de planches à roulettes. Devant ce désordre, Monsieur Net s'égosillait à la ronde :

– Restez groupés !

– Formez une seule file ! renchérissait monsieur Brasseur, en nage.

Bonne chance ! Entre les chauffeurs de taxi, les autobus et les voitures, ceux qui partaient, ceux qui arrivaient, ceux qui se bécotaient et ceux qui étaient perdus, garder un groupe d'élèves ensemble relevait de l'exploit. Près de l'endroit où on enregistrait nos bagages, plusieurs parents saluaient notre départ. Sauf les miens, bien entendu. Mais je n'étais pas le seul. Je constatai quelques absents supplémentaires, dont les parents d'Émilie et de Xavier. Fidèles au rendez-vous, ceux d'Andréanne s'approchè- rent de nous. Son père posa les deux mains sur mes épaules avec virilité, mais aussi avec une certaine tendresse. Il plongea son regard dans le mien et me lança :

– Je compte sur toi pour t'occuper de ma fille, P.-A.

— Promis, monsieur Carrière.

Andréanne soupira et lui lança son regard je-peux-très-bien-me-débrouiller-toute-seule. C'est à ce moment-là que je vis l'oncle de Charles parmi le groupe de parents. Toujours aussi macabre/lugubre/sinistre/funèbre (ou toutes ces réponses). Personnellement, j'aurais préféré qu'il soit ailleurs, embaumant un quelconque cadavre. Il chuchota quelque chose à l'oreille de son neveu et celui-ci sourit. Ils avancèrent ensuite vers nous.

— Comme on se retrouve, jeune homme! dit l'épouvantail humain en me tendant une main blanche et froide.

— Euh… ouais! laissai-je échapper, ne sachant pas trop quoi d'autre lui répondre.

Ne connaissant toujours pas son nom, j'avais envie de le baptiser «l'Oncle-dont-il-ne-faut-pas-prononcer-le-nom» en hommage à «Vous-Savez-Qui». Il poursuivit, aussi chaleureux qu'une morgue affichant complet:

— Ce voyage sera très enrichissant, j'en suis sûr.

Je ne sais pas pourquoi mais, à ces mots, un long frisson me parcourut le dos.

Après une heure d'attente, je déposai enfin mes bagages sur le tapis à cet effet. Je n'excédais pas la limite. Tant mieux ! C'était loin d'être le cas pour tout le monde. Certains semblaient confondre « voyage en France » et « séjour sur une île déserte »... La jolie demoiselle derrière le comptoir me tendit ma carte d'embarquement. Destination : porte cinquante-trois. Mais, avant, il fallait faire encore la file.

— Quoi ? s'étonna Jo. On s'assoit pas tout de suite dans l'avion ?

— Non, on doit d'abord passer par le détecteur de métal, lui expliqua Andréanne.

Quand ce fut mon tour, je présentai ma carte d'embarquement à l'homme au visage renfrogné devant moi. Il regarda mon passeport et mon visage en alternance une bonne dizaine de fois. Oui, oui, c'était bel et bien ma tronche ! Finalement, il décida que je n'avais pas le profil type du terroriste international et me montra bêtement vers quel détecteur me diriger. Même si je n'avais rien à me reprocher, j'étais nerveux. Je pris une grande inspiration et franchis l'arche. Aucune alarme ne se déclencha. Soulagé, je repris mes effets personnels.

Tandis que mes amis se prêtaient au même manège, un son retentit au détecteur voisin du mien. Lapalme-Dor éprouvait quelques difficultés techniques! Il retira son iPod de sa poche et traversa à nouveau. Même signal. La machine dépistait-elle le plomb dans sa tête? Le douanier pointa alors son collier du doigt. À contrecœur, il le déposa dans un des bacs sur le côté. C'est alors que j'en remarquai le pendentif : petit, de forme rectangulaire, coloré et avec divers motifs.

Tiens! Où l'avais-je déjà vu?

Oh non! Ça me revenait!

Il était identique à celui de mon cauchemar!

Oh oh… Et si ça signifiait que cette sombre prophétie était sur le point de se réaliser?

NÉCESSAIRE DE VOYAGE
POUR MYOPE

DE LA CRÈME SOLAIRE

(ne pas oublier d'enlever ses lunettes pour se crémer le visage, sinon: look de raton laveur assuré pendant la première moitié du voyage, et look de lépreux pendant l'autre moitié. Belles photos en perspective!)

DU CHASSE-MOUSTIQUES

DES BONBONS NERDS À GRIGNOTER

(ils ne devraient pas être aussi gros que les monstres volants qu'on croise en Abitibi, mais on ne sait jamais...)

(Miam! Miam!)

UNE BONNE SÉLECTION DE FILMS ET DE SÉRIES TÉLÉ

(à écouter sur sa tablette électronique. *Seul au monde*, *Les joyeux naufragés*, *Robinson Crusoé* ou *Perdus* renferment une foule de trucs utiles si jamais l'avion s'écrase et qu'on se retrouve sur une île déserte)

UN PETIT VAPORISATEUR POUR LA TOILETTE

(quand on ne sait pas avec qui on sera jumelé dans notre chambre d'hôtel... ni si notre système digestif appréciera la nourriture exotique!)

DES PETITS SACS À VOMI SUPPLÉMENTAIRES

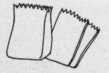

(juste au cas où, dans l'avion, on serait placé à côté de Sébastien Morand-Voyer...)

II

Toute notre bande de Surprenants attendait dans l'interminable file pour entrer dans l'avion.

— C'est quoi, ça, Air Nada? s'étonna Jo.

— Le nom de notre compagnie aérienne, répondit Andréanne.

— Jamais entendu parler.

Alex suggéra:

— C'était sûrement la moins chère…

— En tout cas, pour le prix, on a deux lettres de moins qu'avec Air Canada, remarquai-je.

Une préposée me fit un signe de la main et je m'avançai vers elle avec mes papiers.

— *Passport, please.*

Hum… Francophone, dans un aéroport québécois, en destination de la France, et on me parlait en anglais ? Très *international* !

— Voilà, dis-je, tendant mes documents pour la énième fois.

Au second comptoir, Lapalme-Dor présentait également son passeport. Son collier m'ensorcelait et je ne pouvais plus m'empêcher de le fixer. Xavier remarqua que je l'observais encore. Sa réaction ? Un geste que je préfère ne pas décrire ici.

(Petit indice : son majeur était impliqué…)

— Chanceux, c'est toi qui as le hublot ! se plaignit Jo en arrivant à nos sièges.

— On peut échanger, si tu veux, lui offris-je.

— Pour de vrai ?

Là, je venais de faire un heureux. De toute façon, je préférais le siège près de l'allée. Ça me permettrait de m'étirer les jambes de temps en temps. Avec Andréanne à mes côtés, tout était parfait.

– Bienvenue à bord d'Air Nada. Notre compagnie qui, partie de rien, est devenue aujourd'hui l'un des chefs de file du transport aérien moderne.

Le pilote poursuivit son discours, le baragouinant ensuite en anglais. Pendant ce temps, les hôtesses de l'air mimaient les consignes de sécurité, présentant les sorties de secours, indiquant où se trouvaient les masques à oxygène et les gilets de sauvetage, etc. Inattentifs, la plupart des passagers avaient déjà la tête dans les nuages. Pas moi, j'étais tout ouïe. C'est ça qui arrive quand, juste avant de prendre l'avion, tu as fait la gaffe de regarder un film intitulé *Les survivants.* Ça raconte l'histoire d'une équipe de soccer qui s'écrase dans les Andes et qui doit recourir au cannibalisme pour survivre... Hyper joyeux.

– Pssiiiittt!

Assis derrière moi, Charles me tapota l'épaule. Du doigt, il m'indiqua un groupe de passagers, assis quelques sièges plus loin. Je pouvais voir Lebœuf-Haché qui, par je ne sais quel miracle, avait réussi à rentrer dans un seul banc.

— Lapalme-Dor est au milieu. T'as remarqué son collier? Tu trouves pas que le pendentif ressemble étrangement à une clé USB?

— Ouais, un peu…

— Quelles informations sont assez importantes pour qu'il veuille les garder sur lui en tout temps, selon toi?

Rapidement, je saisis où il voulait en venir.

— Les preuves de ton intimidation?!

— Exact! Il va falloir s'en emparer!

— Mais… comment veux-tu qu'on le lui prenne sans être vus? C'est impossible…

Au même moment, une hôtesse faillit assommer Charles avec un chariot.

— Pardonnez-moi, dit-elle, aimeriez-vous une collation?

J'acquiesçai. Elle me versa un verre de boisson gazeuse et m'offrit un petit sac de biscuits. Je l'ouvris, découvrant un *snack* qui me rappelait drôlement les croquettes de mon chat. Appétissant… Lorsqu'elle fut partie, le visage de Macchabée-Simard réapparut à mes côtés.

– J'ai un plan…, me confia-t-il.

En raison du décalage horaire, les vols vers la France ont souvent lieu de nuit, ce qui permet d'arriver le matin, juste à temps pour le « p'tit-déj' ». On dit qu'il est préférable de dormir durant le vol pour ne pas perdre sa première journée de vacances à roupiller. Après le repas – un triste morceau de poulet baignant dans des pâtes trop cuites –, les passagers s'efforcèrent de suivre ce conseil. Le film-somnifère les aida grandement : un long métrage dans lequel un légume faisait son frais et tombait sur la tomate de ceux qui auraient préféré qu'il se mêle de ses oignons. Méchant navet !

À mes côtés, Andréanne somnolait paisiblement. On aurait dit un ange. Tout le monde dormait, sauf moi.

— C'est l'heure de passer à l'action, souffla une voix derrière moi.

Correction : tout le monde dormait, sauf CHARLES et moi. Quand est-ce que j'allais avoir un petit moment de répit ? Moi qui commençais à me détendre un peu, bercé par le vrombissement de l'appareil.

— Vas-y toi-même ! rétorquai-je, épuisé d'être sa marionnette.

— Tu sais bien que je suis sur leur liste noire.

— Et moi ? Depuis que je t'aide, tu crois qu'ils m'aiment beaucoup ?

Surpris de ma contestation, Macchabée-Simard essaya de se faire plus convaincant :

— S'il te plaît ! C'est le dernier service que je te demande, promis. Après ça, c'est fini. Je suis sûr que les preuves de mon intimidation se trouvent dans cette clé USB. J'en mettrais ma main au feu.

— Tu me promets qu'après, tu me demanderas plus rien ?

— Juré, déclara-t-il, la main sur le cœur.

Sans plus attendre, je me levai. Je voulais en finir au plus vite ! Même si l'avion était plongé dans la noirceur, mon objectif était facilement repérable : j'entendais Lebœuf-Haché ronfler jusqu'ici. Je descendis l'allée pour atteindre sa rangée. Lapalme-Dor dormait et Joe Blier avait le visage estampé sur le panneau de plastique devant le hublot. Parfait. Mais je devais faire attention, derrière eux se trouvait nul autre que RoboBob. Par chance, ses fonctions neuro-logiques semblaient éteintes à cette heure-ci. Il s'agissait maintenant de passer le collier autour du cou de Xavier sans accrocher ses oreilles. C'était la première fois que je voyais son pendentif d'aussi près. Charles avait raison : ça avait tout l'air d'une clé USB.

OH NON !!!!

Xavier venait de lever la main pour se gratter le nez. Un peu plus et il m'accrochait le bras. Sa main reprit sa position initiale et il émit un petit grognement. Fiou ! Il dormait toujours. Lentement, je pris la chaîne et commençai à la soulever. Dou-ce-ment.

— Hmmm… Du bacon.

Lebœuf-Haché s'était-il réveillé?!? Non. Fausse alerte. Son estomac somnambule s'exprimait, voilà tout. OK. Je devais en finir avant qu'une hôtesse de l'air m'aperçoive et me demande ce que je faisais là. Tout à coup, la consigne lumineuse indiquant d'attacher nos ceintures s'alluma. Merde!

— Nous allons traverser de légères turbulences, annonça le pilote, veuillez redresser vos sièges et boucler votre ceinture.

Zut! Je me tournai pour reprendre ma place, mais une hôtesse de l'air m'en empêchait. Pressée de ranger son chariot à rafraîchissements, elle bloquait le passage.

— Veuillez retourner à votre place, monsieur, s'il vous plaît, dit-elle fermement.

— Mais je suis assis là-bas! protestai-je.

Je montrais une rangée derrière elle.

— Vous pouvez vous installer ici en attendant, s'impatienta-t-elle, désignant l'un des rares fauteuils vides de l'avion. Vous regagnerez votre siège lorsque nous aurons quitté la zone de turbulences.

– Mais…

– Dépêchez-vous de boucler votre ceinture!

N'ayant pas le choix, je m'assis alors que tout le monde se réveillait. Rassemblant assez de courage pour jeter un œil par-dessus mon épaule, je vis Lapalme-Dor et son équipe qui me fixaient. Ils se doutaient bien que j'avais tenté quelque chose pendant leur sommeil. Embarrassé, je leur servis un sourire forcé et un petit geste de la main.

(Ne t'en fais pas, le mien était beaucoup plus poli…)

Où suis-je?

Une immense vague de déjà-vu déferle sur moi.

Oh non! Je me suis endormi et mon cauchemar est de retour! Pas de doute, parce que je vois mal comment une tour médiévale aurait pu atterrir dans notre avion…

— *GRABLOFUI!*

Pas vrai... Ça recommence!! Au moins, cette fois, je suis à mi-chemin de l'escalier qui mène au sommet. Je soupire et m'élance, espérant faire mieux que la première nuit. Rapidement, j'atteins le haut de la tour. Tout est identique à mon cauchemar précédent. Sauf que je suis seul.

— *Andréanne?!?*

Où est-elle? Je lève un bras dans les airs et, à nouveau, une épée incandescente apparaît dans ma main. Oh yes! Amenez-en, des monstres aux babines dégoulinantes! D'ailleurs, j'entends un grognement derrière moi. Je me retourne en donnant un coup d'épée.

— *Yaaaaaaaaa! hurlé-je comme un samouraï.*

Touché! Avant même de cracher une flamme, la bête s'écroule au sol, la tête tranchée. Un liquide visqueux s'échappe de son cou. Game over. C'est presque trop facile.

— *Mon amour, où es-tu!? lancé-je à la ronde.*

La dernière fois, ma bien-aimée était attachée à un poteau. Celui-ci est au même endroit, mais pas d'Andréanne à l'horizon. Qu'est-ce que ça signifie ? Que je suis arrivé trop tard ? Seule réponse à mes questions : un objet apparaît dans les airs. La clé USB de Lapalme-Dor. Le pendentif se joue de moi. Il flotte devant mes yeux sans que je puisse l'attraper. Lentement, il se déplace et m'oblige à le suivre comme un zombie devant un bout de cervelle fraîche. Oscillant de gauche à droite, il m'hypnotise. Je le suis ainsi, jusque devant un immense chaudron où bout une étrange mixture. Telle une marionnette dont quelqu'un contrôle les ficelles, je prends une sorte de spatule et en brasse le contenu. Tout à coup, un bras émerge de la substance verdâtre. Puis une tête. ANDRÉANNE !!!!

On dirait qu'elle est en train de se noyer. Elle veut appeler à l'aide, mais aucun son ne sort. Impuissant, je vois son visage devenir de plus en plus violacé. Oh ! Une autre main apparaît dans le bouillant mélange.

— Non ! Pas toi aussi, Jo !

Mon ami suffoque à son tour. Avec la spatule de bois, j'essaie de les sortir de là. Mais c'est inutile. La chaleur qui émane de la marmite est de plus en plus insupportable.

— ANDRÉANNEEEEeeeeeeeeee !

— P.-A. ! Réveille-toi !

Dieu merci, tout le monde était sauf !

— T'es là !!!! m'écriai-je, la couvrant de baisers.

— Bien sûr, répondit Andréanne, surprise. Où voulais-tu que j'aille ?

Mes marques d'affection commencèrent à devenir un peu gênantes dans l'espace étroit que nous offrait l'avion.

— Tu m'as fait peur, s'inquiéta-t-elle. Tu marmonnais dans ton sommeil. T'as fait un cauchemar ? Tu veux m'en parler ?

— Non, non… tu trouverais ça niaiseux.

— Ce serait pas la première fois que tu me racontes quelque chose de ridicule, non ? me taquina-t-elle.

Elle souriait à nouveau. Tant mieux. Parce que, pour ma part, je commençais sérieusement à me demander ce que signifiait ce rêve étrange. Mes amis couraient-ils un danger à cause de moi ?

PLAN DE PARIS

Avant de s'aventurer dans une contrée étrangère, il est important de mémoriser certains points de repère principaux.

LES CHAMPS-ÉLYSÉES
(essaie de lire ces mots sans avoir le refrain de la chanson de Joe Dassin en tête...)

LA BASILIQUE DU SACRÉ-CŒUR
(il faut en posséder tout un pour gravir ses nombreuses marches!)

LA TOUR EIFFEL
(l'endroit préféré de King Kong quand il vient à Paris)

LE CHAMP-DE-MARS
(possibilité d'y croiser un extraterrestre)

LA CATHÉDRALE NOTRE-DAME DE PARIS
(si on séjourne à Paris sans la visiter, il y a quelque chose qui cloche...)

III

Baignant dans la lueur d'un soleil matinal, la Ville lumière s'offrait à nous. Majestueuse. Magnifique.

Paris !

Ce qui me frappa d'abord : l'architecture. Tout simplement grandiose. En route vers notre hôtel, je pus admirer ces constructions, datant d'une époque lointaine. On aurait dit le Vieux-Montréal ou le Vieux-Québec, mais à perte de vue. La pierre était à l'honneur et la couleur beige prédominait, ce qui donnait une cohésion à l'ensemble. Sur certaines cathédrales, j'aperçus même des gargouilles aux extrémités des gouttières. Je me sentais entouré par des siècles d'histoire. Par contre, ce n'est pas ce que certains remarquèrent en premier...

— T'as-tu vu la grosseur des voitures ? demanda un gars du groupe.

– Oui, on se croirait sur une piste de *go-kart*! répondit un autre.

Eh boy… Le voyage s'annonçait plutôt long!

Notre gîte avait pour nom La République du Louvre. Une appellation pareille, ça créait des attentes: un hôtel prestigieux, fréquenté par des gens importants, par exemple. Hum… Il devait être plus attrayant sur le site Internet que dans la réalité. Avec son enseigne sur le point de se déboulonner (il manquait même quelques lettres, ce qui donnait «La pubique du Louvre») et sa devanture en pierres ayant résisté aux intempéries par je ne sais quel miracle, des rénos n'auraient pas été de trop. Seul avantage majeur: on logeait près du célèbre musée en question.

– Vous avez une heure pour déposer vos bagages dans vos chambres et vous changer, nous expliqua Monsieur Net. Nous avons un horaire très chargé pour nos dix jours ici et il faut s'y mettre dès aujourd'hui.

Visite du musée du Louvre, de la tour Eiffel, de l'Arc de triomphe, de la basilique du Sacré-Cœur, de la cathédrale Notre-Dame de Paris – c'est le moment de prendre votre inspiration pour poursuivre l'énumération –, des Champs-Élysées, du cimetière du Père-Lachaise et j'en passe. Avec un tel programme, pas une minute à perdre !

– Voici la clé de votre chambre, articula RoboBob de sa voix mécanique.

On monta nous-mêmes tous nos bagages jusqu'au deuxième étage par l'escalier étroit du gîte. Porte deux cent seize. Le chiffre indiquait-il le nombre de cafards qui y habitaient ? J'espérais que non. Jo glissa la carte magnétique dans la serrure et la porte s'ouvrit en grinçant. C'était donc notre chamb… euh… boîte à sardines serait plus approprié. Deux minuscules lits et on était quatre. Heureusement, on était jumelés entre amis. Andréanne avait eu moins de chance et elle s'était retrouvée dans la chambre d'Émilie « l'air bête » Nelligan. Jo se mit aussitôt à bondir sur un des matelas, prêt à défoncer.

– Je prends celui sur le bord de la fenêtre ! s'écria-t-il.

– *Shotgun* pour le même lit que toi! s'exclama Alex dans la seconde qui suivit.

Quel empressement! En fait, je crois qu'il voulait surtout éviter de se retrouver dans le même lit que Macchabée-Simard. Je le comprenais…

– OK, acquiesçai-je par dépit, je vais prendre le deuxième avec Charles.

Celui-ci me fit un sourire reconnaissant. Il avait beau essayer d'être gentil, je dois avouer que sa présence m'irritait de plus en plus.

– Ça peut pas être moins confortable que nos lits de dortoir, pariai-je.

Je m'allongeai pour prouver mes dires. Et me rendis compte que j'avais peut-être parlé un peu trop vite. Ça doit être ça, une «auberge de jeunesse». Aucune chance d'y faire de vieux os…

– Qui prend sa douche en premier?

Alex, Jo et moi, on décida en jouant à roche-papier-ciseaux. Quant à Charles, il remit ça à plus tard. Tant qu'il ne voyait pas son propre reflet dans ses cheveux noirs, ça pouvait attendre…

Quand je sortis de la salle de bains, Alex essayait de brancher son séchoir à cheveux dans une prise de courant.

– T'as apporté un adaptateur ? le questionna Jo.

– Non, pourquoi ?

– C'est pas le même voltage, ici, le renseigna mon ami. Ils utilisent du 220 et nous, du 110.

– Qu'est-ce que ça change ?

– T'es mieux de pas l'essayer… À moins que tu tiennes à avoir la chevelure de Réal Béland !

À l'heure du dîner, on goûta à une spécialité parisienne : une baguette de pain avec juste du jambon et du beurre. Ils avaient sûrement oublié quelques ingrédients… Tout de même, ça nous ragaillardit pour notre première activité, la visite du musée du Louvre. En chemin, on eut même la chance de pratiquer le sport local par excellence : la marche en slalom pour éviter les crottes de chien sur le trottoir. Mieux valait les enjamber car, une fois rencontrées, elles ne vous lâchaient pas d'une semelle…

– Où sont les Français avec une baguette sous le bras ? s'interrogea Jo.

– Il faut pas se fier aux stéréotypes, le reprit Andréanne.

– De ce côté-là, ils sont pas mieux que nous, remarquai-je. On vient de croiser un restaurant « québécois » qui offre du caribou au sirop d'érable et où les serveurs portent des chemises de chasse à carreaux…

À destination, je fus impressionné par l'immense édifice, avec son architecture dont la construction s'était étendue sur plusieurs siècles. Constitués de plusieurs étages chacun, les nombreux pavillons formaient un « u » monumental sur quelques pâtés de maisons.

– Deux options s'offrent à vous, nous annonça monsieur Lachance. La visite guidée ou libre. Dans les deux cas, il est impossible de tout voir en une seule journée. Commencez par les sections qui vous intéressent le plus pour ne pas manquer de temps. Les experts disent même que vingt jours sont nécessaires pour faire le tour du musée.

Vingt jours! Certains élèves avaient de la misère à être intéressés par un musée pendant un seul après-midi...

– On se retrouve ici à 17 h pile. Est-ce que c'est clair?

Deux petits «oui» se firent entendre.

– EST-CE QUE C'EST CLAIR? hurla RoboBob, utilisant sa fonction *repeat*.

Des «OUI» fusèrent de toutes parts.

– Parfait, alors. Ceux qui désirent effectuer un tour guidé, suivez-moi.

Les gens intéressés à en apprendre davantage sur l'art et les différentes cultures lui emboîtèrent le pas, c'est-à-dire... sept personnes. Les adultes accompagnateurs. Les élèves optèrent plutôt pour une excursion sans attaches, espérant au passage pouvoir flâner au restaurant du musée.

— Allons voir *La Joconde* en premier! décréta Jo. Avec un nom pareil, elle a peut-être des airs de famille avec moi!

On reçut nos billets et on pénétra dans cet antre du savoir. Au rez-de-chaussée, on se retrouva en pleine Grèce antique. La célèbre Vénus de Milo, déesse sculptée dans le marbre, nous aurait bien salués, mais elle avait du mal à le faire.

— Pfff! Le sculpteur a même pas pris le temps de lui faire des bras! s'exclama Charles.

Il bâilla à s'en décrocher la mâchoire. Je l'aurais cru plus curieux, mais non, il semblait avoir l'esprit ailleurs, regardant à peine les trésors qui l'entouraient.

— Et *La Joconde*, elle est où? s'interrogea Jo.

Quand il avait une idée fixe, lui, c'était pire que *Le jour de la marmotte*. Des fois, quand on s'obstinait, j'avais l'impression d'être sur Facebook et de parler à un mur…

— Elle est pas à cet étage-ci, lui expliqua Andréanne avec patience.

— Il y en a combien ? demanda Alex.

Andréanne consulta le dépliant qu'on avait eu en entrant.

— Quatre, si on compte le rez-de-chaussée et le sous-sol, répondit-elle. Et, Jo, *La Joconde* est au premier.

— Qu'est-ce qu'on attend pour y aller, alors ? s'emballa mon ami.

La foule immense s'entassant dans la galerie des peintures nous permettait difficilement de circuler. Tant mieux. Ça me donnait la chance d'observer chaque toile et d'emmagasiner ces images formidables dans ma mémoire.

— Dépêche-toi, P.-A.! s'énervait Jo devant mon rythme d'intello en transe.

Le radeau de la Méduse de Géricault fut l'œuvre qui retint le plus mon attention. On pouvait y voir des soldats en mer sur une embarcation de fortune, désespérés et entourés de cadavres.

— Ouach! fit Alex.

— J'aime ça, moi..., rétorqua Charles, probablement interpellé par l'aspect macabre de l'œuvre.

— Et *La Joc*...

— CHUT! s'exclama le reste de la gang pour faire taire Jo et sa sempiternelle question.

Apercevant ensuite un tableau d'Eugène Delacroix datant de 1830, mon meilleur ami s'interrogea:

— Pourquoi les filles ont toujours les seins nus sur les vieilles peintures?

— Aucune idée..., répondit Alex avec sérieux. C'était peut-être la mode?

Andréanne se pencha pour déchiffrer le texte informatif sous la toile.

— C'est écrit que la femme de ce tableau est une allégorie. Elle ne représente pas une vraie femme, mais plutôt la liberté, généreuse et nourrissant le peuple d'idéaux.

– N'importe quoi, se renfrogna Charles.

Plus la journée avançait, plus son attitude se détériorait. Il semblait de plus en plus nerveux. Je m'attendais à ce qu'il recommence à se frotter les mains d'une seconde à l'autre.

– Est-ce qu'on peut voir *La Joconde*, maintenant ?

– Oui…

Justement, on arrivait à la salle où se trouvait la célèbre œuvre de Léonard de Vinci. Les gens s'entassaient devant une minuscule toile et de nombreux déclics de caméras se faisaient entendre. Peut-être aurait-il fallu rappeler à ces paparazzis qu'il s'agissait uniquement d'un vieux tableau un peu défraîchi dans un musée à Paris, et non de Paris Hilton…

– Hein !? C'est juste ça ? se plaignit Jo en apercevant la taille de sa fameuse *Joconde* entre huit épaules, quatre cous et autant de têtes. Ben là…

Soixante-dix-sept centimètres sur cinquante-trois. Pas un de plus. Mais difficile d'en rencontrer d'aussi connus !

– Je m'attendais à quelque chose de plus gros, ajouta-t-il, déçu.

Malgré la taille de la toile, le sourire énigmatique de la Joconde me plaisait bien. Maintenant, je comprenais pourquoi autant de gens se déplaçaient pour la voir. Voulant l'observer de plus près, mes amis se frayèrent un chemin parmi les touristes. Pour ma part, j'en profitai plutôt pour regarder les autres œuvres de la salle. Il y en avait une de vraiment drôle! Jésus y faisait un signe de la main, lequel avait tout l'air d'un *peace and love*. On aurait dit un hippie, prêt pour la prochaine édition du festival Woodstock.

Tournant la tête vers un autre tableau, je fus complètement estomaqué.

Impossible!

Mes yeux me jouaient des tours ou quoi?

Sur une toile, je voyais un champ, peint en clair-obscur. Il semblait se perdre à l'infini en raison de la perspective. Et il était uniquement constitué… de roses noires!

Un poème accompagnait le tableau:

Compagnons obscurs, suivez-moi dans la noirceur

N'hésitez pas à ouvrir la porte du soir

Celle qui connaît les sentiments de votre cœur

Le temps est venu pour le règne de la rose noire

Je devais absolument montrer ça à Charles! J'entendis alors derrière moi:

— C'est mon tableau préféré.

Étonnamment, il ne s'agissait pas du timbre de voix de Macchabée-Simard. Mais plutôt… de celui d'une fille!

MYOPE-QUIZ N° 3

Voyons maintenant si, comme tout bon nerd qui se respecte, tu as été attentif en classe et... testons tes connaissances sur l'histoire de la France!

Vrai ou faux? Encercle la bonne réponse.

1. Le vrai nom du bossu de Notre-Dame n'est ni Quasimodo ni Garou, mais plutôt Victor Hugo. Ce dernier a ensuite écrit une autobiographie intitulée *Le Misérable*.
    V ou F

2. La guillotine a été inventée par Guy Lottin, un boulanger qui, à l'époque, cherchait un moyen de mieux trancher son pain.
    V ou F

3. La guerre de Cent Ans, qui opposait la France à l'Angleterre, s'est déroulée de 1337 à 1453, prouvant au passage que les gens de l'époque n'étaient pas forts en maths.
    V ou F

4. En 1954, le maire de Châteauneuf-du-Pape — région reconnue pour son vin (ce qui n'a pas de lien avec ce qui suit... ou peut-être que si!) — a passé une loi interdisant aux ovnis de survoler le territoire.
    V ou F

5. La vraie couleur du cheval blanc de Napoléon serait en fait... noir ébène.
    V ou F

IV

Quoi?!? Émilie Nelligan m'adressait la parole?! Profitant de la souplesse des profs par rapport à l'uniforme durant notre voyage, elle s'était donné un air de poète en portant un minuscule béret et un immense foulard.

– C'est une toile vraiment mystérieuse, m'expliqua-t-elle. Elle a été retrouvée dans la collection privée d'un haut gradé allemand après la Deuxième Guerre mondiale. Personne en connaît l'origine, car elle est pas signée. Mais le poème français qui l'accompagne laisse sous-entendre qu'elle a été pillée durant l'Occupation.

Elle marqua une pause. J'attendis qu'elle poursuive. Sur un ton plutôt sarcastique, elle ajouta :

– C'est tellement beau… que ça donne envie de faire des graffitis partout dans l'école, non?

Euh !!! Elle passait aux aveux ou quoi !? Note à moi-même : toujours traîner une enregistreuse pour ces moments cruciaux.

— Que sais-tu à propos de ça ? l'interrogeai-je avec un air inquisiteur.

— Plus de choses que tu ne le penses, certifia-t-elle.

Je souhaitais qu'elle développe, mais elle ne fit qu'épaissir le mystère avec sa réplique suivante.

— Toi aussi, d'ailleurs…

Où voulait-elle en venir ? Mes connaissances à propos des graffitis se limitaient à des hypothèses. Dans lesquelles elle faisait partie des coupables.

— Es-tu en train d'avou…

— Écoute, j'ai plus peur de t'affronter maintenant, m'interrompit-elle. Je sais que c'est toi qui as volé mon ordinateur.

Là, elle me prenait au dépourvu.

— Hein !? tentai-je. De quel ordi tu parles ?

— De celui qui se trouvait dans la case de Xavier, le soir du porte-à-porte dans la ville.

— Si c'est vraiment le tien, que faisait-il dans *notre* dortoir?

Dans ma tête, ces nouvelles informations n'arrivaient pas à avoir du sens.

— Tu connais la mentalité des gars, répondit-elle. Ils se croient toujours meilleurs pour tout protéger. Ils voulaient pas prendre de risques, étant donné les autres vols d'appareils informatiques. Mais j'aurais pas dû les écouter…

Je devais parler de tout ça avec Charles. Je jetai un coup d'œil en sa direction. Il n'était plus là. Pas plus qu'Andréanne ni Jo. Près de *La Joconde,* il ne restait qu'Alex. Où étaient-ils passés?

— Tu connais beaucoup de gens à l'école qui aiment assez la poésie et la peinture pour avoir une rose noire et ce poème sur leur ordinateur? Pas moi, en tout cas…

Émilie continuait de parler, mais je ne l'écoutais plus.

– ... mais il y a une chose que je comprends pas : pourquoi faire des graffitis en plus ? Pour me provoquer davantage ? Le vol te suffisait pas ?

Je la laissai continuer son charabia, lequel visait à me mélanger plus qu'autre chose, et me dirigeai vers Alex en bousculant quelques touristes.

– Hé ! Reviens ici ! entendis-je derrière moi. J'ai pas terminé !

Jamais Andréanne ne serait partie sans m'avertir.

– Où sont les autres, Alex ?

Aussi perdu que moi, il s'aperçut au même moment qu'il était seul à observer le chef-d'œuvre.

– Je sais pas ! répondit-il. Ils étaient là il y a une seconde.

Pas de quoi paniquer. À première vue, du moins. Ils étaient peut-être seulement aux toilettes. Avant même que mon cerveau ne puisse donner son avis, mes pieds optèrent pour une direction.

– Où vas-tu ? s'inquiéta Alex.

– J'aime pas ça, lui dis-je sans me retourner, il faut les retrouver.

– Je viens avec toi !

Il paraît que le meilleur moyen pour retrouver une personne égarée est de demeurer au même endroit et de l'attendre. Incapable de rester en place, je fis totalement le contraire. Je retournai d'abord au rez-de-chaussée, Alex sur les talons. Rien. Andréanne et Jo n'étaient toujours pas en vue. Ensuite, on se rendit à un étage inférieur, baptisé l'entresol. Même la momie qui s'y trouvait avait un teint moins livide que le mien.

– Où sont-ils ?! m'affolai-je.

– Quelque part dans le musée, c'est certain. On a eu la consigne de pas sortir. C'est tellement grand ici, ils peuvent être n'importe où.

Se voulant rassurant, son ton ne fit que m'énerver davantage. Je remontai les escaliers le plus vite que je pus, malgré la densité de la foule. Il ne restait qu'un seul étage à visiter, le deuxième. Il contenait lui aussi plein de peintures, mais mon intérêt pour celles-ci fondait aussi vite qu'une crème glacée dans un four à micro-ondes. Des toiles, des toiles, toujours des toiles. Mais pas d'Andréanne. Ni de Jo. Ni de Charles.

– Calme-toi, P.-A., me lança Alex.

– Tu comprends pas.

J'avais un mauvais pressentiment. Un *très* mauvais pressentiment. Ma tête tournait et était sur le point d'exploser. J'avais l'impression que les murs se refermaient sur moi. Pareil à Han Solo, Chewbacca et la princesse Leia, prisonniers d'une trappe à ordures spatiales. J'étouffais. Avoir pu, j'aurais ouvert très grand les fenêtres du deuxième étage.

Soudain, mon attention fut attirée par l'extérieur : de l'autre côté de la baie vitrée, le ciel se couvrait. Un orage se préparait. Le climat et moi étions sur la même longueur d'onde, c'est-à-dire en mode apocalyptique. Observant la nature sur le point de se défouler, je remarquai l'immanquable au loin. La pointe d'un monument qui captivait les touristes autant qu'un pique-nique attire les fourmis.

La tour Eiffel.

Mon cauchemar me revint en tête: un ciel tout droit sorti d'une peinture, le sommet d'une tour, le danger imminent…

Andréanne et Jo se trouvaient là, j'en étais certain! C'était irrationnel, je sais, mais je décidai d'écouter mon instinct.

— Je dois aller prendre l'air, avertis-je.

— Je t'accompagne, suggéra Alex.

— Non, ça va, objectai-je. Il faut que quelqu'un reste à l'accueil, au cas où ils reviendraient à notre point de départ.

— OK, acquiesça-t-il, tu peux compter sur moi.

À l'extérieur, les nuages explosèrent. Le déluge. Pas grave! Rien ne pouvait m'empêcher de me rendre à la tour Eiffel pour sauver Andréanne. Pas même la bonne demi-heure de course que ça représentait. Je m'élançai, le décor défilant à toute vitesse: un commerce, un café, une crotte de chien; un commerce, un café, une crotte de chien. Deux kilomètres plus tard, j'arrivai à destination, trempé comme une algue. Mes genoux étaient sur le point de prendre leur retraite et j'avais ma baguette jambon-beurre en travers de la gorge.

Je levai les yeux vers mon objectif. Whoa... Une structure d'acier interminable. Excessive et fabuleuse à la fois. Je n'avais pas quitté le plancher des vaches que mon vertige faisait déjà des siennes. Heureusement, à cause de la pluie, la plupart des touristes avaient fui. Ils étaient faits en chocolat ou quoi!? (Probablement des touristes suisses...) Malgré tout, certains faisaient encore la queue pour accéder aux ascenseurs situés à l'intérieur des pattes en fer. De longues files qui ne semblaient pas du tout avancer. Seule option disponible: gravir la tour à pied. Grrrr...

– Pour monter par les escaliers, c'est trois euros cinquante, jeune homme, m'annonça une voix âgée derrière la vitrine du guichet.

Je sortis mon portefeuille et lui tendis un billet de cinq euros. Le monsieur était tellement vieux qu'il devait déjà être là à l'ouverture, en 1889. Il me rendit la monnaie d'une main tremblotante. Bon, il ne me restait plus que mille six cent soixante-cinq marches à monter.

Let's go !

Parvenu au second palier, je constatai que les marches s'arrêtaient là. Pour atteindre le sommet, il fallait prendre l'ascenseur, mais l'accès au dernier tronçon de la tour était fermé en raison de la pluie. De toute façon, ma sombre prophétie ne mentionnait pas d'ascenseur. Il y avait seulement un escalier qui ne finissait jamais, comme celui que je venais de gravir. Je m'arrêtai un moment pour scruter la foule autour de moi.

Aucune trace d'Andréanne. Ni de Jo.

Un panorama grandiose de la ville. Rien d'autre. J'avais l'impression de tout voir d'un coup : la tour Montparnasse, le Champ-de-Mars, la basilique du Sacré-Cœur, etc. Au pied du monument, j'apercevais la Seine qui serpentait tel un long ruban couleur… brun pollution. À l'horizon, j'eus même droit à un arc-en-ciel, maintenant que la pluie avait cessé. Mais ce spectacle exceptionnel me laissa de marbre. Où étaient passés mon amour et mon meilleur ami ? Pourtant, j'avais suivi tous les éléments de mon cauchemar à la lettre. (Sauf pour le monstre et l'épée, bien sûr.) Pourquoi n'avais-je pas réussi à les retrouver ?

C'est à cet instant précis que j'entendis :

– Enfin, on le tient !

CONSEIL N° 47

Ta beauté intérieure finira par se
refléter sur ta beauté extérieure
(OK, je l'avoue : celui-là, je l'ai pris
dans un biscuit chinois...). ☺

V

Dans ma tête, c'était presque comme si j'avais entendu : « Grablofui ! » Mais ce n'était pas un simili-Bowser qui se tenait devant moi : il s'agissait plutôt du chef des intimidateurs !

– Xavier ?! Tu… tu m'as suivi jusqu'ici ? balbutiai-je, étonné.

– Bah… rien qu'une petite marche de santé pour moi, minimisa-t-il avec un immense rictus de satisfaction. J'aurais pu te rattraper avant, mais disons qu'on m'a ralenti un peu.

D'un signe de tête, il désigna Francis (source de retard majeur), Philippe, Joe et Émilie, qui accouraient par les escaliers, à bout de souffle. Les cinq doigts d'un même poing, prêt à s'abattre sur moi. Quel malheur !!

– Je voulais savoir où t'allais en courant comme ça, lança-t-il. Dis-moi, qu'est-ce qu'on fait ici, au sommet de la tour Eiffel ?

Pas trop le moment de lui raconter mon rêve saugrenu. Je jetai un regard autour de nous, cherchant du renfort. Visiblement, les touristes n'avaient que faire de notre conversation. Tout à coup, je me sentis très seul parmi la foule. Mon silence semblant lui déplaire, il s'avança vers moi. Très près. Sa réplique suivante – et son haleine – me flagella les narines.

– Il va falloir que tu m'expliques pourquoi mon collier t'intéresse autant.

Il prit celui-ci entre ses doigts et tendit la chaîne vers mon visage, comme s'il voulait que je le voie mieux.

– Mais, surtout, je veux que tu me dises ce que t'as fait de l'original, continua-t-il.

L'original ? Je n'avais même pas réussi à le lui voler, son pendentif ! Désormais accoudé au garde-fou, j'eus un léger regard vers la terre ferme. Un sentiment de vertige m'assaillit. Observant le cours d'eau plus bas, lequel me semblait à des kilomètres, je me rendis compte que ce n'était pas le meilleur endroit pour faire une Seine.

– On devrait en discuter ailleurs, lui chuchotai-je. Surtout qu'il y a ce garde de sécurité qui nous observe d'un air suspicieux !

Lapalme-Dor se retourna pour vérifier si je disais vrai… et je profitai de cette ouverture pour m'enfuir !

– Hé !

Il tenta de me retenir par le bras, mais je lui échappai. Courant derrière moi, Xavier et sa bande ne pensèrent pas à se séparer pour bloquer les quatre sorties vers les escaliers. Tant mieux. Leur gaffe me facilitait la vie ! Je bousculai quelques touristes ébahis et dévalai les escaliers. Avec le soleil, les visiteurs réapparaissaient miraculeusement, telle une bande de vers de terre curieux. Pour descendre les marches sans les heurter, je zigzaguai telle une *pinball*. Comme l'auraient si bien chanté Les Colocs : *Tassez-vous de d'là !*

De retour au sol, je constatai que la masse de touristes avait ralenti mes intimidateurs. J'avais une mince longueur d'avance. Je m'élançai vers le Champ-de-Mars, situé au pied de la tour. Ancien lieu d'entraînement militaire, cet immense espace vert en plein cœur de la ville est aujourd'hui un jardin public où se prélassent de nombreux vacanciers. Je devais me cacher au plus vite, connaissant mes chances de gagner une course d'endurance contre Lapalme-Dor (c'est-à-dire nulles…). Dès que je le pus, je me glissai derrière un arbre pour reprendre mon souffle. Mais très vite, je pris conscience de l'inefficacité de ma cachette : seul le sommet des arbres était touffu ! Et le tronc de celui-ci n'avait pas une très grande circonférence. J'étais mince, mais pas tant que ça… Je vis alors quelques arbustes assez fournis pour me camoufler. Parfait. Un, deux, trois. *GO !*

Je m'accroupis de façon à pouvoir observer la base de la tour Eiffel. Mes cinq poursuivants venaient d'apparaître, foulant le Champ-de-Mars, l'air furieux. À la sortie de la tour, il y avait deux sentiers pour circuler dans l'immense jardin. Lapalme-Dor regardait partout autour de lui pour savoir quelle direction prendre, tandis que Lebœuf-Haché grattait son front neandertalien. J'avais emprunté celui de gauche et ils se dirigèrent à droite, en direction du musée. Aucune chance qu'ils me voient. J'étais sauvé !

Ils avaient probablement pensé que j'étais rentré au Louvre pour respecter l'heure du rassemblement. Oups ! L'heure ! Je regardai ma montre : 15 h 30. Il ne me restait plus beaucoup de temps, je devais rentrer. Après tout, mon escapade en haut de la tour ne m'avait pas permis de retrouver mes amis. Mais il y avait d'autres monuments avec des tours à Paris. La cathédrale Notre-Dame en avait deux, il y avait l'Arc de triomphe… L'âme déchirée, j'optai toutefois pour la voie de la sagesse et décidai de rentrer au bercail. Mais, cette fois, impossible de le faire en sprintant. J'avais assez couru pour toute une vie ! Une solution plus rapide me traversa l'esprit : le métro. Voyant un troupeau d'élèves longer les buissons où je me cachais, je décidai de me renseigner auprès de leur enseignant :

– Savez-vous où est la prochaine station de métro ?

– *Was er sagt ?*

Zut. Il fallait que je tombe sur des Allemands…

– Sta-tion? dis-je en essayant de donner une consonance germanique à mon mot.

Un garçon blond aux yeux bleus (bon, j'avoue, je viens de décrire la moitié du groupe) sembla saisir.

– *Station? U-Bahn Station?*

Ça devait être ça. J'approuvai, utilisant le seul mot allemand que je connaissais:

– *Ja!*

Il sortit de son sac à dos une carte et me montra la station de métro la plus près: École Militaire, laquelle se trouvait au bout de l'allée.

À une centaine de mètres plus loin, j'aperçus l'entrée du métro: des escaliers donnant sur la rue, tout simplement. Pas de bâtiment extérieur ni de panneau lumineux pour l'annoncer. Je descendis les marches, m'engouffrant dans un réseau qui dépassait l'entendement. J'avais l'impression d'entrer dans le cœur d'une fourmilière. À Montréal, il y avait quatre lignes : la verte, la orange, la bleue et la jaune. Ici, ça ne servait à rien de commencer à énumérer les couleurs. Des dizaines de lignes, des centaines d'arrêts. Le fouillis total. (Donne une boîte de crayons Prismacolor à un enfant et laisse-le barbouiller sur une feuille, ça donnera probablement le même résultat…)

Une fois mon billet acheté, je marchai jusqu'au bon quai pour attendre le métro. Les wagons s'immobilisèrent devant moi quelques minutes plus tard dans un crissement de freins. Les portes s'ouvrirent. Aucun endroit où m'asseoir. Pas grave. J'allais ressortir dans quelques stations.

Mais, juste avant que les portes se ferment complètement, une main surgit de nulle part et me saisit le bras.

La main de… Lapalme-Dor, bien sûr.

AMIS POUR LA VIE

Lors de dangers extrêmes ou simplement lors de moments plus difficiles, il est bon de pouvoir compter sur ses acolytes afin de s'en sortir. Que serait Batman sans Robin? Tintin sans le capitaine Haddock? La cloche sans l'idiot? Voici donc un endroit pour écrire les coordonnées de tes meilleurs amis, ceux sur qui tu peux compter en tout temps!

VI

Coincé dans le métro de Paris, j'étais fait comme un rat (endroit tout désigné pour l'être, d'ailleurs).

– T'as plus le choix, me fit remarquer Xavier. Tu vas tout nous expliquer, maintenant.

Il avait raison: j'étais dans une impasse, pris en sandwich entre une dame qui avait mis suffisamment de *spray net* pour qu'une étincelle fasse exploser sa chevelure et un homme qui m'offrait une vue imprenable sur son aisselle (c'est ça, le «transpire en commun»…).

– Qu'est-ce que t'as fait avec ma clé USB?

Il revenait à la charge avec ses fausses accusations.

– Je l'ai pas, ta clé USB! arguai-je. C'est toi-même qui l'as dans le cou.

Il la prit entre ses mains.

— Non, ragea-t-il, c'est pas la bonne! Quand on est arrivés à l'hôtel, on a vérifié. C'est une vieille clé que je m'étais déjà fait voler.

— L'autre, tu l'as prise dans l'avion, renchérit Laflamme-Hotte, on le sait!

Lebœuf-Haché se malaxait les jointures… Mauvais signe. Et aucun passager du métro ne semblait sur le point de prendre ma défense, tous enfermés dans leur bulle individualiste. Je devais convaincre Xavier et sa bande de mon innocence, et vite.

— C'est vrai, avouai-je, j'ai essayé, mais j'ai pas réussi.

— Et qu'est-ce que t'as fait de mon ordinateur? me redemanda Émilie.

Les accusations fusaient de partout! Lapalme-Dor interrompit son amie:

— Attends, Émilie, chaque chose en son temps.

Lebœuf-Haché me saisit par le collet. L'aisselle de mon voisin n'exprima même pas un soupçon de stupéfaction. Quant à madame Spray net, elle bâilla.

— Alors, si c'est pas toi qui as pris ma clé, pesta Xavier, tu vas au moins me dire pourquoi tu voulais me la voler.

Comme une bouteille de boisson gazeuse secouée trop longtemps, j'explosai :

— PARCE QUE VOUS INTIMIDEZ CHARLES SUR INTERNET ET QUE LES PREUVES SONT DANS CETTE CLÉ USB !

Ma réponse était un peu trop intense, je sais, mais il fallait que ça sorte. Je n'avais plus aucun respect pour les intimidateurs. Toutefois, je ne m'attendais pas à leur réaction : ils avaient l'air complètement abasourdis.

— Tu nous accuses de cyberintimidation ?! s'exclama Laflamme-Hotte.

— Oui, me semble que c'est clair, non ?

— Il débloque total, le mec, lâcha Joe Blier avec son lourd accent franchouillard.

— Va falloir que tu m'éclaires un peu, constata Xavier, parce que je comprends rien à ce que tu racontes.

Sa surprise semblait sincère. Pouvait-il jouer la comédie aussi bien ? J'en doutais.

— Il y a un mois et demi, précisai-je, je vous ai pris en flagrant délit, en train de tabasser Charles.

— C'est pas ce que tu croyais, objecta Laflamme-Hotte, on te l'a déjà dit.

Xavier lui fit un geste de la main, signifiant qu'il devait me laisser finir.

— Ensuite, poursuivis-je, il m'a dit que vous étiez toujours sur son dos, que vous l'aviez « cyberintimidé » et qu'il devait récupérer les preuves de vos agissements dans l'ordi que vous lui aviez dérobé.

— Houlala, la bourde ! dit Joe Blier, se tapant le front.

— Tu t'es vraiment fait avoir, jugea Lapalme-Dor, lequel semblait désormais comprendre quelle était mon implication dans cette histoire. Désolé…

Désolé!? Eh oh! Je n'avais pas besoin qu'une bande d'intimidateurs me prenne en pitié!

— Si on brassait Macchabée-Simard ce jour-là, c'est parce qu'on s'était déjà fait voler. À plusieurs reprises. D'abord la tablette électronique de Philippe, ensuite le cellulaire de Francis, puis cette première clé USB qui vient de réapparaître mystérieusement dans mon cou à la place de l'autre… Comme on se doutait qu'il y était pour quelque chose, on est allés l'interroger.

— Toute une manière de questionner les gens! maugréai-je.

— Ses réponses pas rapport ont augmenté nos soupçons, continua-t-il, mais on a jamais rien pu prouver. Et quand t'es arrivé, c'est lui qui nous avait poussés en premier.

Je secouai la tête en signe de dénégation. Je n'arrivais pas à le croire. Ou, plutôt, je ne voulais pas que ce soit vrai.

— Oh! Je viens de comprendre: tu pensais que mon ordi était celui de Charles?! alluma Émilie.

– C'est pas ton portable, c'est le sien, ripostai-je mollement.

Ma contestation perdait de plus en plus de force.

– Tu connais beaucoup de gars qui auraient une rose sur leur ordi? me demanda-t-elle, étonnée de ma naïveté.

Je contre-attaquai :

– C'était le symbole préféré de sa mère!

– Quelle nullité, ce mec, échappa Joe Blier, il gobe tous les bobards qu'on lui balance.

Houla! Depuis notre arrivée en France, il abusait de plus en plus des expressions locales! Je n'avais pratiquement rien compris à sa dernière phrase… Francis desserra son étreinte, sentant que je n'avais plus l'énergie nécessaire pour m'enfuir.

– Comment expliques-tu que je pouvais me connecter en tant que La_RoSe_NoIrE sur un autre ordinateur, alors? m'interrogea Émilie. C'était toi, l'autre jour, n'est-ce pas?

— T'as piraté le mot de passe, c'est tout, tentai-je.

Mais, je l'avoue, je commençais à douter. Leur histoire paraissait crédible. Quelqu'un mentait, il fallait maintenant déterminer qui.

— Et pour les graffitis? les questionnai-je, désemparé.

Laflamme-Hotte prit un air étonné:

— Euh… C'était pas nous!

— Impossible, répliquai-je, j'ai la preuve écrite que vous racontez n'importe quoi!

Je leur mentionnai les textos piratés provenant du cellulaire de Lapalme-Dor. Celui-ci reprit aussitôt le contrôle de la conversation.

— Et si je te disais qu'on avait compris vos petites manigances? Que mes textos visaient uniquement à confirmer nos doutes? Piège dans lequel vous êtes tombés, d'ailleurs…

J'étais estomaqué.

— Comment vous nous avez démasqués?

— La prochaine fois, tu diras à ton ami le pro en informatique que, si son numéro de cellulaire apparaît chaque fois que j'écris un texto, c'est pas mal louche.

— Si vous étiez pas les vandales, c'était qui, alors?

— Il reste une seule personne, raisonna-t-il, Charles.

— Mais… pourquoi il aurait voulu s'emparer de vos appareils électroniques?

— Je sais pas, soupira sincèrement Lapalme-Dor. Une chose est sûre: t'as été utilisé comme un pion. Quand il a vu qu'on le soupçonnait, il a dû arrêter toute activité louche et c'est là qu'il t'a convaincu d'agir à sa place.

Avais-je été manipulé à ce point? Ou… se jouait-on de moi à l'instant? Dans mon esprit, plusieurs images se bousculaient: le mystérieux inconnu qui se déplaçait la nuit dans le dortoir, la dispute à propos du trophée, Macchabée-Simard insistant pour que je fasse tout moi-même sans s'impliquer. Et un seul nom résonnait dans ma tête: Charles, Charles, CHARLES!

– OK, acquiesçai-je, abandonnant toute résistance, allons tirer les choses au clair avec lui.

Satisfait, Lapalme-Dor me tendit la main en signe de paix. Je n'étais pas certain que ce soit l'idée du siècle, mais je m'exécutai, question de gagner leur confiance pour l'instant. Lorsque le métro s'immobilisa à la station suivante, les cinq sortirent du wagon.

– Hé! Qu'est-ce que vous faites? les hélai-je. C'est pas l'arrêt du Louvre!

– T'étais pas parti dans la bonne direction…

En chemin, Xavier émit une hypothèse:

– Si c'est bel et bien Charles qui a la clé USB, il est sûrement retourné à l'hôtel pour en vérifier le contenu.

– Mais quand aurait-il mis la main dessus? me questionnai-je à voix haute.

– C'est ce qu'on va savoir, ajouta-t-il. On va aller lui rendre une petite visite.

Je croisai les doigts, espérant aussi trouver mon amoureuse et mon meilleur ami…

– Grouillons-nous, alors! nous conseilla Émilie. Il reste peu de temps avant l'heure de retour fixée par monsieur Lachance.

Au second étage du gîte, on passa d'abord devant la chambre d'Andréanne. Par instinct, j'y collai mon oreille.

– Ils sont là! J'entends des gémissements!

J'insérai ma carte magnétique dans la tête du lecteur. La lumière s'éteignit… et se ralluma. Rouge.

– Oh non! paniquai-je. J'ai pas la clé de cette chambre-là!

– Attends, dit Émilie à mes côtés, moi, je l'ai.

Elle introduisit la sienne et l'indicateur lumineux tourna au vert. *Yes !* Je n'arrivais pas à croire que mes ennemis de la veille m'aidaient maintenant à secourir mon amour. Je poussai la porte et me précipitai dans la chambre.

Mon Dieu… Que s'était-il passé ?

Andréanne et Jo étaient là, poignets et chevilles ligotés à l'aide des draps du lit, et une taie d'oreiller sur la tête. Je me jetai sur ma copine pour la détacher.

— Il faut faire vite ! s'exclama-t-elle aussitôt avec son sang-froid habituel. J'ai aucune idée de ce que Charles veut faire avec la clé USB de Xavier mais, à voir sa réaction quand on l'a questionné, ça doit pas être très légal.

— Qu'est-ce qui est arrivé ? lui demandai-je, malgré le temps qui filait à vive allure.

— Au musée, on a vu Charles essayer de nous faire faux bond pendant qu'on observait *La Joconde*. Trouvant son attitude étrange depuis l'histoire du trophée, Jo et moi nous sommes dépêchés de le suivre, même si nous ne t'avons pas trouvé dans la foule pour t'avertir… Il nous a menés jusqu'ici et on est tombés dans son piège.

— Il vous a attachés tout seul ?

— Il nous a forcés à nous ligoter entre nous, intervint Jo, lequel venait d'être libéré de ses liens par Émilie.

Tout rouge, mon ami semblait aux anges. L'identité de sa libératrice compensait largement la mésaventure qu'il venait de vivre.

— Faites attention, il a un couteau ! ajouta-t-il.

— Quoi !? Comment il a fait pour le passer au détecteur de métal à l'aéroport !?

— C'est un canif. Il a dû le mettre dans sa valise qui allait dans la soute à bagages… Dire que j'en ai moi-même un à la maison ; j'aurais jamais cru me faire menacer avec ce genre d'arme un jour ! C'est petit, mais suffisant pour se faire obéir, crois-moi.

— Je veux pas être rabat-joie, mentionna Émilie, mais il nous reste juste dix minutes pour retourner au Louvre à temps.

On n'avait pas une seconde à perdre. Pour accéder à son portable, Charles s'était assurément réfugié dans notre chambre. Je sortis de celle des filles, suivi de mes sept compagnons. En me voyant ouvrir la porte, Macchabée-Simard leva la tête, surpris. Il pianotait à une vitesse folle sur le clavier de son ordinateur, assis en tailleur sur son lit.

— Ah! vous voilà! lança-t-il aussitôt. Je me demandais quand vous alliez tous vous pointer.

— C'est toi, le voleur, à ce qu'il paraît?! l'apostrophai-je. TRAÎTRE!! Rends-nous cette clé USB!

— Vous arrivez trop tard de toute façon.

Avec un sourire triomphant, il appuya sur la touche «Entrée». Je m'avançai vers lui et il brandit son couteau dans ma direction.

— Approche pas.

— On est huit contre toi et t'es cerné, l'avisai-je. Tu peux pas t'en sortir, même avec un canif. Dépose ça avant de blesser quelqu'un.

Je fis un pas de plus, les mains dans les airs, pour lui signaler qu'il n'avait rien à craindre de moi.

— Approche pas, je t'ai dit!! répéta-t-il.

Il n'avait pas l'air de vouloir déposer son arme.

— Tu t'es fait de nouveaux amis, P.-A.? pesta Charles. Tu me déçois beaucoup… Je pensais jamais que tu fréquenterais ce genre de racaille.

— Ils prétendent qu'il y a jamais eu de cyberintimidation, que tu voulais juste subtiliser leurs appareils électroniques. Ils racontent même que c'est toi qui faisais les graffitis. Dis-moi que c'est faux!

Il répliqua avec dédain:

— Et, en apprenant ça, tu t'es pas demandé ce que je voulais leur voler, exactement? Ou, plutôt, ce que je désirais leur *reprendre*?

Lapalme-Dor avança d'un pas en ma direction, prêt à agir. Andréanne lui fit signe de patienter une seconde.

— Que veux-tu dire? dit-elle. Qu'est-ce qu'elle contient, cette clé USB?

— Vos camarades ont pas daigné vous en informer?

Lapalme-Dor se tourna vers moi :

– Pour être franc, je sais pas ce qu'elle contient. On m'a demandé d'en prendre soin, c'est tout.

– Qui vous a confié cette mission ? continua Charles en tentant de leur tirer les vers du nez.

– Mon père, avoua le sportif.

Narquois, Macchabée-Simard poursuivit :

– J'ai été très surpris que tu fasses pas le lien, P.-A. Tout comme ton paternel, au moins un parent de chaque « intimidateur » était impliqué dans le scandale d'octobre dernier.

Quoi !? Mais il avait raison ! Je revoyais tout à coup Xavier, seul à l'aéroport. Idem pour Émilie. Je n'avais pas remarqué pour les deux autres, mais je prenais soudainement conscience que leurs parents étaient tous des adultes qui avaient été arrêtés en même temps que mon père. Voilà probablement pourquoi Francis et Émilie s'étaient joints aux Dieux de l'Olympe, alors que rien ne les unissait à eux, en apparence. Pourquoi n'y avais-je pas pensé plus tôt? Mais… euh… Que venait faire Power Power dans cette histoire!?

– Eh oui! Tes nouveaux amis dissimulaient des informations très importantes pour ce réseau d'entreprises qui a transformé notre école en laboratoire pendant deux ans. Et dire que t'étais déjà prêt à les défendre! Petit conseil: tu ferais mieux de pas faire confiance aussi facilement.

Déçu de m'être fait avoir, je me tournai vers Lapalme-Dor dans l'attente d'explications.

– Je sais pas de quoi il parle, je te jure! m'assura Xavier. J'ai jamais regardé ce qu'il y avait sur cette clé…

– Je pige que dalle, renchérit Joe Blier.

Je remarquai alors que Charles jetait de fréquents regards en direction de son écran d'ordinateur. Soudain, je saisis qu'il nous racontait tout ça pour gagner du temps! Déterminé à l'empêcher de continuer, je tendis le bras pour abaisser l'écran de son portable. Il donna un coup de couteau en ma direction, me touchant légèrement.

Argh!

Je pris mon poignet dans ma main et aperçus un mince filet de sang couler entre mes doigts. Les sportifs y virent un signal de départ et l'étau se referma. Comprenant qu'il était cuit, Macchabée-Simard laissa tomber son arme, mais s'empara de la clé USB. Je bondis en sa direction pour la lui reprendre. Les réflexes de footballeur des Dieux de l'Olympe prirent le dessus et ceux-ci se joignirent à moi. Macchabée-Simard fut enfoui sous le poids de nos corps. Je lui arrachai le collier des mains.

– Qu'y a-t-il là-dedans de si important, hein ? lui demandai-je par simple précaution, avant de la redonner à Xavier.

– Pfff ! répondit Charles. Si vous pensez que je vais vous le dire.

Lebœuf-Haché ajouta un peu plus de pression sur notre monticule humain.

– OK, OK ! réussit à articuler Charles, écrasé par cet argument de poids. Je vais tout vous raconter si Francis s'enlève.

Tout sourire, Francis s'exécuta.

– Il s'agit d'informations donnant accès aux comptes bancaires de Power Power.

– Qu'est-ce que tu voulais faire avec ça? s'étonna Andréanne.

– C'est pas pour moi, c'est pour mon oncle. Il savait que les gens impliqués avaient été arrêtés, mais que l'argent des actionnaires avait pas été retrouvé. Il avait entendu dire de source sûre que les données pour y accéder se trouvaient à l'école, cachées par un des enfants des membres de Power Power.

Je jetai un coup d'œil à Lapalme-Dor.

– Je te jure que je savais pas ce que contenait la clé USB.

Devant sa sincérité, je la lui tendis pour qu'il la reprenne.

– Non, garde-la, j'en veux pas… C'est trop lourd à porter.

Lui aussi s'apercevait qu'il avait été manipulé. Par son père, en plus. Et sa déception semblait l'ébranler. C'est à ce moment-là qu'on entendit cogner à la porte. Fort. *Très* fort.

– OUVREZ!

RoboBob! Oh non! Il était passé 17 h! Tout le monde devait nous chercher, au musée. On était certains de passer un mauvais quart d'heure! Quoi faire? Se sauver par la fenêtre? Mais on n'aurait nulle part où aller après, à cinq mille kilomètres de chez nous. Finalement, c'est Jo qui réagit en premier. Détournant son attention d'Émilie un instant, il alla débarrer la porte, les épaules courbées, l'air abattu. J'en profitai pour jeter un coup d'œil au portable de Charles. L'écran semblait figé, comme si tout avait planté quand il avait retiré à la hâte la clé USB. Avait-il réussi à accomplir ce qu'il voulait faire?

Quand il foula la moquette avec sa démarche de cyborg, le colosse moitié machine, moitié humain nous regarda sévèrement.

– Vous êtes dans le trouble, les amis. Vous n'avez pas idée à quel point…

CONSEIL N° 1

Le meilleur que je puisse te donner :
reste toi-même !

VII

Alors, voilà! L'affaire est ketchup une bonne fois pour toutes (ou plutôt «moutarde de Dijon», comme le diraient les Français)! Non seulement Power Power a échoué à deux reprises avec ses plans diaboliques, mais, en plus, la fortune de la multinationale a enfin été saisie. On n'a pas juste remporté une bataille: on a gagné la guerre! F-i-fi, n-i-ni, fini. Je peux désormais dormir tranquille, sachant que la vie va reprendre son cours au collège. Et j'espère que cette accalmie va durer jusqu'à la fin de mon secondaire! (Si ce n'est pas trop demander…)

Par contre, si je ne me trompe pas, tu dois encore avoir beaucoup d'interrogations à propos de ce qui vient de se dérouler devant tes yeux. Ai-je raison? Moi aussi, c'était le cas au moment où RoboBob est intervenu au gîte. Alors, si tu le veux bien, laisse-moi te raconter la vraie histoire de Charles Macchabée-Simard… Mais, avant, attache ta casquette avec des *tie wraps* parce que, tu vas voir, c'est loin d'être simple!

La clé de l'énigme, en dix étapes (pas) faciles:

1) Une partie de ce que Charles m'avait raconté était véridique. La mort de ses parents dans un accident, par exemple. Mais la rose noire, comme Émilie me l'a révélé, c'était complètement faux. La vérité? Ses parents étaient également membres de Power Power. Après leur décès, son oncle a accepté la garde de Charles, mais avec une seule idée en tête: mettre la main sur l'héritage colossal de son neveu.

2) Lorsque les leaders ont été arrêtés en octobre dernier, son oncle a découvert que l'argent généré par Power Power n'avait pas été retrouvé et qu'il ne toucherait donc pas un sou. Une source lui a alors révélé que le nom des comptes en banque et leurs codes d'accès étaient en la possession d'un des enfants des membres arrêtés.

3) C'est à ce moment-là que Charles est entré en scène, à la solde de son oncle. La

nuit, il attendait que tout le monde dorme pour subtiliser les appareils informatiques (ordinateurs, cellulaires, tablettes électroniques, etc.) des élèves dont les parents avaient été arrêtés pour leur implication dans Power Power. Mais, chaque fois, il rentrait bredouille, car aucun des appareils volés ne renfermait les précieuses informations. Lorsque les soupçons des sportifs ont commencé à peser sur Macchabée-Simard, il a dû trouver une solution pour détourner leur attention vers quelqu'un d'autre.

4) Vers qui? Moi. C'est mon intervention pour le protéger contre Xavier et sa bande qui lui a donné l'idée. Et comment? En me confiant sa mission suicide, qui consistait à voler l'ordinateur d'Émilie dans la case de Lapalme-Dor. De cette façon, il avait trouvé un bouc émissaire et couvrait ses arrières. Par contre, tout ça n'a d'abord servi à rien, puisque le portable ne contenait pas ce qu'il désirait.

5) Ensuite, lorsque monsieur Lachance a déclenché les olympiades, Charles a émis l'hypothèse farfelue que le trophée

était l'endroit par excellence pour cacher quelque chose, car il était hors de portée de tous dans sa vitrine. Ouais, je suis d'accord, c'était une supposition tirée par les cheveux, mais au point où il en était… C'est pour cette raison qu'il tenait tant à gagner les olympiades, quitte à tricher (ce qu'il a fait en laissant tomber des punaises sous les pieds de Lapalme-Dor pendant la course à relais).

6) Durant ce temps, pour continuer à faire croire qu'il était intimidé – alors que c'était complètement faux –, Charles a eu l'idée des graffitis de la rose noire, enrichissant au passage son mensonge à propos du symbole préféré de sa mère et m'empêchant d'apprendre que, en fait, l'ordinateur volé était celui d'Émilie.

7) Juste avant qu'on s'envole pour Paris, Charlés n'avait plus aucune raison de garder le trophée, car il a compris où se trouvaient les fameuses données : dans le collier que Xavier portait désormais à son cou.

8) C'est le père de Lapalme-Dor qui a conseillé à son fils de transférer les fichiers dans la clé USB. Ayant eu vent de la vague de cambriolages à l'école dans sa cellule de prison, son paternel voulait qu'il conserve les données sur lui en tout temps pendant le voyage. C'était moins risqué ainsi. Ne sachant pas qu'il s'agissait de coordonnées bancaires, Xavier a accepté, n'étant pas du genre à contester les ordres de son père. Toutefois, leur plan n'a pas fonctionné, car Macchabée-Simard en a pris possession dans l'avion. Quelques semaines plus tôt, il avait dérobé à Xavier une clé USB identique et il a pu faire l'échange grâce à celle-ci. Quand il m'a demandé de m'en emparer, il avait déjà celle qu'il voulait en poche. À nouveau, je servais de diversion, au cas où Lapalme-Dor se serait aperçu de la supercherie du faux pendentif.

9) Heureusement, nous sommes arrivés à temps au gîte. Charles devait décrypter les données de la clé USB pour les extraire et les envoyer par courriel, ce qui s'avéra plutôt long. Grâce à notre intervention, il a été obligé de retirer la

clé de son portable avant que tous les fichiers soient transmis. Par la suite, il est devenu évident qu'il disait vrai à propos des comptes bancaires. Les autorités ont donc été averties.

10) De là, tout a déboulé : l'oncle de Charles a été arrêté pour tentative de fraude et d'extorsion, et les fonds ont été saisis par le gouvernement !

Et voilà… pas mal, hein !?

Maintenant, tu en sais autant que moi !

Malheureusement, notre voyage a dû être écourté, en raison de toute cette aventure. Mais, au moins, avant de rentrer au pays, on a eu le temps de visiter les vraies catacombes de Paris. Vous auriez dû voir la face de Jo quand il a vu tous ces crânes empilés ! *Priceless*. Sans farce, j'y retournerais n'importe quand. Voyager en vaut vraiment la peine !

Au retour, j'ai voulu parler à Charles, mais je ne l'ai pas revu. Dommage. Surtout qu'il sera probablement placé dans une famille d'accueil. En gros, j'aurais aimé lui dire : « Je t'en veux pas de t'être servi de moi. » Lui aussi a été manipulé, mais par des adultes. Et c'est cent fois pire! J'espère sincèrement qu'il va réussir à se faire des amis dans sa nouvelle école. Parce que c'est super important.

D'ailleurs, ma bande d'amis ne cesse de grandir. Alors qu'ils me haïssaient pour avoir causé l'arrestation de leurs parents, les sportifs ont mieux compris mes motivations au terme de notre aventure. J'ai senti qu'ils m'avaient pardonné après avoir vécu sensiblement la même chose à leur tour. Eh oui! il ne faut pas se fier aux premières impressions. Je sais, c'est la troisième fois que j'en arrive à cette conclusion mais, que voulez-vous, l'être humain est rempli de surprises! Et, parfois, on fait aux autres ce qu'on ne voudrait pas qu'on nous fasse… (Toutefois, si tu me le permets, je vais émettre une petite réserve: Lebœuf-Haché. Disons que je ne suis pas rendu au point de le considérer comme un ami… mais j'essaie, je le jure!)

Ce qui est vraiment super? Mes nouvelles amitiés auront une incidence heureuse sur tous les élèves de l'école. Andréanne, Jo, Alex, Émilie, Xavier, Philippe, Joe et moi, on s'est fait une promesse. L'an prochain, on va contrer l'intimi-dation. Tous ensemble. Qu'elle soit cyber, hyper ou pépère! Et, à ceux qui en auront besoin, on pourra fournir ce guide de survie que tu tiens dans tes mains. Ça peut toujours servir, non? ☺

Mais, d'ici là, je vais profiter de mes vacances estivales. Youhou! Je vais aussi aller visiter mon père en prison. Il est très fier que j'aie réussi à mettre un point final à l'histoire de Power Power et, bientôt, il va pouvoir sortir en raison de sa bonne conduite (j'ai hâte!). Et Andréanne? Elle et moi continuons de filer le parfait bonheur. Grâce à elle, j'ai compris à quel point notre beauté intérieure peut nous faire rayonner quand on a confiance en soi et qu'on sait s'entourer de vrais amis. Je commence même à croire que je suis en train de devenir un peu (peut-être... légère- ment... hum... c'est difficile à avouer...) beau! Et, pour ce qui est de Jo, il a mis sa gêne de côté et a finalement convaincu Émilie de leur trouver quelques atomes crochus (mais ce n'est pas une raison pour penser croche, là!). Vous devriez les voir ensemble, ils sont trop mignons.

Pour terminer, si je pouvais offrir un dernier conseil dans le cadre de mon guide, ce serait le suivant: parfois, l'appui de nos amis (et les trucs d'un myope qui est déjà passé par là), ce n'est pas suffisant. À l'occasion, il faut faire appel à des adultes – des parents, des enseignants, des intervenants spécialisés. Il ne faut pas avoir peur de leur demander de l'aide quand c'est nécessaire. Je crois que mon guide ne serait pas complet sans quelques ressources essentielles. Alors, je les ai incluses à la fin du roman. Dans le besoin, n'hésite pas à les contacter !

Et toi, fidèle lecteur (trice), comment se déroule ta survie ?

Peu importe ce que tu vis en ce moment, dis-toi une chose : tu peux t'en sortir. J'en suis la preuve vivante ! ☺

Un mot de la fin ?

Eh bien ! C'est simple : bonne survie à tous ! (Oups ! Ça fait quatre mots, ça...) ☺

RESSOURCES POUVANT TE VENIR EN AIDE SI TU ES VICTIME D'INTIMIDATION

FONDATION JASMIN ROY

555, boul. René-Lévesque Ouest
Bureau 1200
Montréal (Québec) H2Z 1B1
Téléphone : 514 393-8772
Télécopieur : 514 393-9843
info@fondationjasminroy.com
http://fondationjasminroy.com

TEL-JEUNES

C.P. 186, succ. place d'Armes
Montréal (Québec) H2Y 3G7
Téléphone : 514 288-1444
Télécopieur : 514 288-6312
http://teljeunes.com

JEUNESSE, J'ÉCOUTE

1 800 668-6868
http://jeunessejecoute.ca

COMMENT CALCULER LES RÉSULTATS DU TEST

Chaque lettre te donne un certain nombre de points:

$$A = 10 \text{ points}$$
$$B = 8 \text{ points}$$
$$C = 6 \text{ points}$$
$$D = 4 \text{ points}$$
$$E = \text{aucun point}$$

Ensuite, additionne-les tous, ce qui te donnera un résultat sur cent. Voilà! Tu connais maintenant ton pourcentage de « nerditude »!

INTERPRÉTATION
DES RÉSULTATS

Maintenant que tu connais ton résultat, voyons voir où tu te situes sur l'échelle des myopes! Une chose est sûre: nous avons tous un *nerd* qui sommeille en nous... Certains plus que d'autres! ☺

100 points
Whoa! Là, tu bats des records. Tu es même plus *nerd* que moi! Et je ne pensais pas que c'était possible...

80 à 99 points
Tu peux te considérer comme un *nerd*, un vrai de vrai! Si on avait la chance de se rencontrer, c'est sûr qu'on deviendrait des amis. En tout cas, si un jour je fonde un club des myopes, tu seras le bienvenu!

60 à 79 points
Dans cette catégorie, tu es en «situation de réussite». Toutefois, les *nerds* préfèrent obtenir des résultats plus élevés. Mais... je suis sûr que tu peux augmenter ton pourcentage si tu le désires, et venir te joindre à notre fraternité à lunettes!

40 à 59 points

Ici, tu te situes plutôt dans la moyenne des gens. Pas vraiment *nerd*, mais pas allergique à ceux-ci non plus. N'oublie pas de leur venir en aide si tu en vois dans le besoin. Tu pourrais être un allié précieux!

20 à 39 points

Hum... le *nerd* en toi est vraiment enfoui profondément. Mais j'espère que la lecture de mon guide réussira à le stimuler un peu!

Moins de 20 points

Oh oh... Peut-on encore imaginer que tu viendras un jour grossir nos rangs? J'espère juste que le côté sombre de la Force ne t'interpelle pas à l'occasion et que tu ne songes pas à rejoindre le club des intimidateurs...

CARTES DE MEMBRE DU CLUB DES MYOPES

Remerciements

Les Mortagnettes, qui ont toujours cru en mon petit myope ; ma famille, qui a la gentillesse de m'héberger lors des salons du livre (Gilles et Paulette, Hélène, Luc et Johanne) et qui m'appuie dans tout ce que je fais (particulièrement ma mère, qui clique sur « J'aime » plus vite que son ombre sur ma *fanpage*) ; Jean Morin, pour cette troisième page couverture vraiment superbe ; Daniel Hondermann, un élève de la Cité-des-Jeunes qui a relevé avec brio le défi d'illustrer le « guide » ; Aimée Verret, pour son œil averti ; Priska Poirier, pour ses conseils ; Marilou Addison et Julie Pellerin, pour le coup de pouce pour mon sondage ; Richard Germain et ses connaissances scientifiques ; Mathieu « Boba Fett » Jeanson ; Sami Atmani et sa page Wikipédia ; Camille Piché-Jetté, pour sa culture en matière de « cliques » ; les instigateurs du concours É-lisez-moi ; la belle gang du Festi-Livre Desjardins aux Bergeronnes ; tous(tes) les libraires, les bibliothécaires et les enseignants(es) qui font découvrir mes romans ; Pollux, mon chat, qui, en se promenant sur mon clavier pour attirer mon attention, a probablement écrit la moitié de ce livre ; et Émilie, sans qui rien de tout cela n'aurait été possible.

DU MÊME AUTEUR

Achevé d'imprimer au Canada
sur les presses de Imprimerie Lebonfon Inc.